Brûlantes promesses

KAREN ANDERS

Brûlantes promesses

COLLECTION 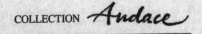 Audace

*éditions*Harlequin

Cet ouvrage a été publié en langue anglaise
sous le titre :
THE DIVA DIARIES

Traduction française de
FRANCINE MAIGNE

HARLEQUIN®

est une marque déposée du Groupe Harlequin
et Audace® est une marque déposée d'Harlequin S.A.

Toute représentation ou reproduction, par quelque procédé que ce soit, constituerait une contrefaçon sanctionnée par les articles 425 et suivants du Code pénal
© 2003, Karen Alari. © 2004, Traduction française Harlequin S.A.
83-85, boulevard Vincent-Auriol, 75013 PARIS — Tél. 01 42 16 63 63
Service Lectrices — Tél. 01 45 82 47 47
ISBN 2-202-17441-3 — ISSN 1639-2949

Prologue

Les mains étaient douces et chaudes sur ses épaules nues.

Le souvenir d'une mélodie lointaine traversa son esprit, caressante, langoureuse, tels les doigts qui exploraient à présent tout son corps.

Ivre de volupté, elle renversa la tête et contempla le visage tout près du sien. Des yeux bleu vif, une mâchoire carrée et des lèvres sensuelles, c'était ce qui avait retenu son attention lors de leur première rencontre.

Elle frémit lorsqu'elle sentit la bouche avide se poser sur ses lèvres ardentes. Le refrain résonnait toujours dans sa tête, envoûtant, ajoutant une touche de magie à cet instant merveilleux. Dans les bras de cet homme, la musique elle-même prenait vie.

Sa robe de lamé glissa sur ses hanches et tomba à ses pieds. Elle l'abandonna sur le sol avec légèreté, sans retenue, avec la même détermination qu'au moment où elle avait quitté l'opéra : Susanna Chandler n'était pas du genre à s'embarrasser d'hésitations.

A son tour, elle posa ses mains sur le torse musclé. Les bras de l'homme l'enlacèrent. Il la tenait serrée tout contre lui, comme un trésor précieux.

Alors, elle sut qu'elle avait enfin trouvé l'amour, la passion qu'elle avait si longtemps cherchée.

Elle chuchota son nom.

Soudain, le visage de son amant s'effaça, sembla s'évanouir dans l'espace, tandis que son étreinte se desserrait. Elle lutta pour ne pas se réveiller. Non… il était là pourtant…. Pourquoi semblait-il désormais si loin ?

— Grand-mère, c'est moi.

— Jenna ?

La vieille femme ouvrit les yeux et vit sa petite-fille penchée sur elle. De longs cheveux noirs, ondulés, lui caressaient la joue. Jenna avait les traits si fins que son visage semblait l'œuvre d'un sculpteur de génie. Ses yeux bruns, parfaitement dessinés en amandes, étaient soulignés d'un trait d'eye-liner sombre, et mis en valeur par une délicate ombre à paupières rose pastel, assortie à son fard à joues.

— Tu rêvais encore de grand-père ?

Jenna s'assit au bord du lit et Susanna respira le parfum exotique qu'elle aimait tant. Elle était fière de la jeune femme qu'était devenue sa petite-fille. Se redressant vivement, elle lui tendit la joue et lui ouvrit les bras.

— C'est toujours le même rêve… murmura-t-elle, songeuse.

Jenna remit les couvertures en place, prit une chaise et s'assit à côté d'elle. Elle caressa un instant la main de sa grand-mère, puis se tourna vers la table de nuit, et y prit un verre qu'elle remplit d'eau fraîche avant d'y faire tomber une paille.

— Il te manque, n'est-ce pas ?

— Oui, à un point que tu ne peux imaginer. Pour moi, il était le seul homme au monde.

La vieille dame se tut un instant et avala une gorgée d'eau.

— Moi aussi, il me manque, dit Jenna tout en lui versant un second verre.

Susanna lui fit signe de le reposer sur la table de nuit. Elle tendit sa main frêle au-dessus du drap et étreignit celle de sa petite-fille. De l'autre main, elle caressait un carnet de cuir rouge rubis... ainsi qu'un objet infiniment plus précieux.

Du temps de sa jeunesse, elle avait voulu expérimenter tous les plaisirs de la vie. Contrairement à elle, sa petite-fille s'était réfugiée dans la musique, n'attendant de la vie nulle autre passion, convaincue que l'exercice de son art parviendrait seul à la combler. Le cœur de Susanna se brisait à l'idée que sa propre fille était responsable de ce désastre.

Jenna était devenue une violoniste virtuose, au sommet de sa renommée. Il était inutile de se demander comment elle avait acquis de telles compétences ; la jeune femme se consacrait corps et âme à l'étude de son instrument... lequel, selon l'avis de Susanna, ne pouvait lui apporter le bonheur auquel rêve une femme. Rien ne pouvait remplacer la chaleur d'un homme, ni la passion, ni le désir.

Mais Jenna ignorait tout de la passion. Elle ne l'avait pas encore vécue.

Susanna étudia la tenue de sa petite-fille ; aujourd'hui elle portait un tailleur-pantalon gris et un chemisier de soie rose. Une tenue très sophistiquée. Oui, elle avait bien l'allure de l'interprète de renom qu'elle était. Pourtant, sous cette façade, Susanna savait que se cachait un cœur tendre, qui ne demandait qu'à vibrer.

Avant même que Jenna ne soit entrée dans sa chambre, Susanna avait déjà décidé de lui offrir l'occasion de connaître l'amour. La lassitude, la fatigue la faisaient déjà flancher, et elle savait qu'elle n'avait plus suffisamment de temps ni d'énergie pour tout révéler à sa petite-fille de vive voix.

— Il y a quelque chose que je dois te dire…

— Qu'est-ce que c'est ? demanda Jenna, soudain inquiète.

— Le temps passe vite, et il ne m'en reste plus beaucoup…

— Ne dis pas cela, grand-mère…

La douleur et la tristesse que Susanna entendit dans la voix de sa petite-fille lui étreignirent le cœur. Sa vie se terminait… elle ne quitterait jamais cet hôpital, mais pour Jenna, il était encore temps…

— Tu t'en rends compte, n'est-ce pas ?

Elle prit le carnet sur le lit et le serra contre elle.

— A présent, écoute. Ceci est la seconde partie de mon journal intime. Le premier carnet se trouve dans mon bureau.

— Ton bureau… quel bureau, grand-mère ?

— Jenna, il faut que tu retrouves ce carnet et tu garderas les deux précieusement. Tu sais, j'ai mené une vie un peu débridée à une époque. J'ai assisté à de nombreuses soirées, j'ai connu beaucoup d'hommes… mon nom a même été mêlé à certains scandales… Aujourd'hui encore, ces carnets pourraient faire du mal.

— A qui, grand-mère ?

— Il y a aussi des bijoux. Des bijoux un peu particuliers…

Elle attrapa la main de Jenna.

— Mets tout cela en sécurité. Ces hommes ont des familles à présent, des carrières importantes. Je t'en prie… mon journal… les bijoux….

Susanna ferma les yeux, sentant ses forces la quitter. Une dernière fois, elle serra la main de sa petite-fille.

— Promets-moi !

— Je te le promets.

— Viens plus près, ma chérie.

Le visage de Jenna sembla flotter devant elle. Lorsqu'elle la sentit toute proche, elle serra dans le creux de sa main un délicat médaillon en or monté sur une chaîne fine et brillante.

— Prends bien soin de ce bijou…

— Grand-mère…

— Trouve les carnets. Garde-les avec toi. Et lis-les.

Jenna lui parlait ; oui, elle entendait encore ses paroles, mais elle sentait une main chaude caresser son visage, et l'entraîner ailleurs, déjà… Lorsque Susanna tourna la tête, son cher époux se trouvait à côté d'elle. Poussant un profond soupir, elle se laissa partir, confiante. Alors qu'elle s'éloignait peu à peu du monde matériel, sa dernière pensée fut pour Jenna. La jeune femme devrait apprendre par elle-même que la musique n'était pas tout dans la vie.

Susanna, elle, n'avait eu aucun mal à choisir entre son mari et sa carrière de diva. L'homme qu'elle aimait comptait plus que tout au monde, plus que sa vie même. Mais les siens ne l'avaient guère imitée : sa propre fille avait choisi la musique et en avait payé le prix. Son cœur en avait été brisé à jamais. Il ne fallait pas qu'il en soit ainsi pour Jenna. C'est pourquoi il fallait absolument que celle-ci lise ses carnets.

Fermant les yeux, la main de son époux chaudement serrée dans la sienne, Susanna se laissa emporter par les vagues de bonheur qui la conduisaient jusqu'au bout du chemin…

1.

— Jenna ! Il faut que je te parle ! Ouvre cette porte ! Jenna !

L'injonction était accompagnée de coups virulents. Cette rafale fit vibrer la porte et tira Jenna de ses pensées. Elle connaissait cette voix. C'était celle de son agent et amie, Sarah Mc Allister.

En maugréant, Jenna se leva, marcha jusqu'à la porte, la déverrouilla sans se hâter et ouvrit à Sarah qui pénétra dans la pièce comme une tornade et se mit à se contorsionner frénétiquement pour retirer son manteau.

— Je prends deux semaines de congé, et lorsque je reviens, ma secrétaire m'informe que tu annules une tournée que j'ai mis des mois à organiser, tout ça pour te rendre à une obscure vente de charité dans une petite ville perdue du Texas. As-tu perdu la tête ? Ma réputation est ruinée, je suis finie !

Calmement, Jenna prit le manteau de Sarah et l'accrocha dans le vestibule.

— Sarah, reprends ton souffle, je n'annule pas la tournée. Ta secrétaire a mal compris. J'ai juste besoin de me reposer quelque temps.

— Combien de temps ?

La nuque tendue, Sarah s'approcha d'elle et lut soudain l'anxiété dans le regard de Jenna. Sa voix se radoucit.

— Que s'est-il passé ?

— Ma grand-mère est décédée.

— Oh mon Dieu ! Et toi tu me laisses entrer ici et hurler comme une folle. Je suis désolée, Jenna. Je me sens tellement ridicule. Je te présente toutes mes condoléances.

Sarah lui prit la main.

C'était difficile, de savoir que la femme qui avait toujours été là depuis son enfance ne l'était plus. Sa grand-mère avait été la seule mère qu'elle eût jamais connue. Juste après sa naissance, sa véritable mère, celle qui lui avait donné le jour, avait préféré se retrouver sous les feux de la rampe et courir les plus grands opéras des cinq continents plutôt que de s'occuper d'elle. Quant à son père, il s'inquiétait bien trop à l'époque de son épouse pour porter la moindre attention à sa fille et avait consacré le plus clair de son temps aux tournées de sa diva. Ainsi ses deux parents s'étaient-ils éloignés d'elle, tandis que sa grand-mère prenait de plus en plus de place dans sa vie, et de responsabilités dans son éducation.

Jenna s'assit sur le canapé beige du petit salon de sa grand-mère et invita Sarah à la rejoindre. L'embarras les gagnait, aussi Jenna brisa-t-elle le silence.

— Lorsque j'étais plus jeune, je restais assise là pendant des heures à boire du thé, tandis que ma grand-mère crochetait de petits napperons en dentelle. Je me souviens encore du parfum des biscuits à la cannelle dont nous étions si friandes, toutes les deux.

Ces souvenirs vivaces lui étreignirent la poitrine. Incapable de demeurer assise plus longtemps, elle se leva, se dirigea vers le piano et fit courir ses longs doigts fins sur le couvercle de laque noire qui protégeait le clavier d'ivoire. Sur ce piano trônait l'un des napperons les plus sophistiqués de sa grand-mère, ainsi que de nombreux cadres dorés contenant autant de souvenirs. C'était un véritable panorama de la vie de son aïeule qui s'étalait, là, sous ses yeux.

— Je me souviens qu'elle faisait ses vocalises chaque jour, montant et descendant les gammes de sa voix céleste. Quelle voix elle avait ! Il n'est guère étonnant qu'elle ait remporté tant de succès.

Sarah se leva et vint la rejoindre près du piano. Elle posa une main chaleureuse sur les épaules de Jenna, qui sembla un instant rassérénée.

— Après toi, Jenna, ta grand-mère était la femme la plus incroyable qu'il m'ait été donné de connaître. Ta tristesse est bien compréhensible. Mais que ressens-tu exactement ? Pourquoi te dérobes-tu de la sorte, pourquoi t'enfermes-tu à clé ?

Nerveuse, Jenna se détourna et s'approcha de la fenêtre. Elle regarda fixement l'énorme chêne du jardin. Les rayons du soleil couchant se réfléchissaient sur son feuillage.

— La situation est assez compliquée, dit-elle.

— Donc, si je comprends bien, ce petit voyage au Texas a davantage à voir avec cette « situation compliquée », qu'avec la vente de charité pour l'hôpital à laquelle tu entends participer ?

Jenna hocha la tête.

— Après les funérailles, il m'était impossible de revenir ici, c'était trop dur. Voir la maison sans elle… devoir trier ses affaires…

— Je comprends, Jenna. Mais pourquoi avoir fait changer les serrures ? insista Sarah.

— Lorsque j'ai finalement trouvé le courage de revenir ici, environ une semaine après les obsèques, mon oncle Paul se trouvait ici…

Des larmes lui gonflaient les yeux.

— Il était en train de tout vider. C'est ma mère qui lui avait donné les clés pour entrer. A peine ma grand-mère était-elle sous terre qu'il la dépossédait de tous les biens que contenait la maison.

— C'est horrible. J'imagine à quel point cela a pu être difficile pour toi, d'assister à cela. Quel homme détestable ! Pourtant, ta mère… j'avais une meilleure opinion d'elle. Qu'a fait ton oncle des meubles et des effets de Susanna ?

— Il les a vendus.

— Et… qu'est-ce que le fait de vendre les affaires de ta grand-mère a à voir avec cette fameuse « situation compliquée » dont tu me parlais à l'instant ?

Laissant aller sa tête contre le mur, Jenna regarda de nouveau le grand chêne auréolé des couleurs du soir.

— Avant de mourir, grand-mère m'a appris que… enfin, qu'elle avait eu une jeunesse plutôt… disons agitée. Durant cette période, elle a tenu un journal intime dans lequel elle consignait en détail ses expériences. Elle m'a donné l'un de ses deux carnets secrets. L'autre est dans son bureau.

— Eh ben dis donc… ta grand-mère…

Jenna sourit.

— Pour être franche, j'étais un peu choquée, moi aussi. J'ai essayé d'obtenir quelques explications de sa part, mais elle était mourante et assez incohérente. Tout ce que je sais, c'est que son autre carnet se trouve là où elle l'avait rangé : dans son bureau.

Elle soupira et poursuivit.

— Le problème, c'est qu'elle avait au moins trois bureaux différents dans son grenier, sans compter le reste du mobi-

16

lier. Mon oncle a tout envoyé dans une salle des ventes…
et tout a été vendu.

Sarah la dévisagea, choquée.

— Oh, non ! Et son journal ?

Jenna s'approcha de la fenêtre.

— J'ai appelé Steven Miller, notre avocat, qui a lui-même
téléphoné à l'acheteur du premier bureau. Cet homme a été
très courtois et m'a autorisée à lui racheter le meuble en
augmentant le prix de seulement dix pour cent. Bien sûr
j'ai accepté tout de suite, et dès que le bureau est arrivé, je
l'ai fouillé de fond en comble. Mais je n'y ai trouvé aucun
journal intime.

Sarah avait l'air perplexe.

— M. Miller a donc appelé le second acheteur, je suppose ?

Jenna s'assit.

— Oui. C'était un juge et il a refusé que je lui rachète
le meuble.

Jenna devina le malaise de Sarah. Elle comprenait parfaitement son désarroi. Car Sarah n'était pas seulement
son agent, elle était aussi son amie, et Jenna savait que
tout ce qui la touchait elle, l'affectait également. Et Sarah
avait conscience de la publicité malvenue que ce journal
pourrait apporter, s'il apparaissait au grand jour. Jenna, en
revanche, ne s'inquiétait pas de sa réputation.

— M. Miller n'a-t-il pas informé ce juge que le bureau
recelait des carnets qui appartenaient à ta grand-mère ?

— Si, et cela a été pire que tout.

— Le juge a prétendu que tout ce que contenait le bureau
lui appartenait désormais ? présuma Sarah.

Jenna hocha la tête.

— Le journal se trouvait-il dans le meuble ?

— Non.

17

Sarah sembla se détendre.

— Cet acheteur a autorisé M. Miller à être présent lorsqu'il chercherait le carnet, surtout après que notre avocat lui eut dit que le bureau, même s'il avait été acquis de façon légitime par lui, avait été mis en vente de façon illégitime par mon oncle.

— Ce qui nous amène donc au troisième et dernier bureau. Il est au Texas, si j'ai bien suivi l'histoire ?

— C'est un certain Sam Winchester qui l'a acheté. Il vit à Savannah, au Texas.

Sarah ferma les yeux un court instant, mais Jenna n'aurait su dire si c'était de soulagement ou de crainte.

— Alors voilà pourquoi tu te rends là-bas. Tu comptes trouver le meuble toi-même, c'est ça ?

— Il faut que je le fasse, Sarah. Je ne peux pas prendre le risque que ce M. Winchester refuse, comme le juge, de me vendre le meuble, pour prétendre que tout objet qu'il pourrait y trouver lui appartient. J'ai appris qu'il a besoin d'argent pour moderniser l'hôpital de Savannah. Un concert de charité serait une excellente occasion pour lui d'obtenir cet argent… et aussi pour moi de pénétrer dans sa maison.

Dehors, le soleil se couchait lentement et sa lumière pâlissait. Sarah planta son regard dans celui de Jenna, qui perçut aussitôt les dizaines d'objections que son amie allait lui opposer. Sarah était payée — et bien payée — pour anticiper et réduire à néant tout ce qui était susceptible de causer du tort à ses clients.

Mais malgré la sagesse de son amie, rien n'importait davantage à Jenna que la promesse qu'elle avait faite à sa grand-mère.

— Tu crois que certaines personnes pourraient s'intéresser aux libres confessions d'une jeune fille ? demanda Sarah.

— Il ne s'agit pas de n'importe quelle jeune fille, Sarah, ne l'oublie pas. Ma grand-mère a été une diva, elle a chanté les opéras les plus célèbres et a eu des liaisons avec des hommes qui sont aujourd'hui des citoyens très influents. Très importants. Elle m'a demandé de les protéger, eux et leurs familles. Si ses écrits tombaient dans des mains mal intentionnées, ils pourraient porter de graves préjudices.

Devait-elle lui dire la vérité ? Toute la vérité ? Peut-être Sarah comprendrait-elle mieux pourquoi il était impératif qu'elle se rende au Texas.

— Il y a aussi des bijoux anciens et… un peu particuliers cachés dans ce bureau.

Sarah ouvrit la bouche et soupira. Avant même que son amie lui répondît, Jenna savait qu'elle s'était déjà résignée à la laisser partir.

— Eh bien ! L'histoire est de plus en plus croustillante ! De quel type de bijoux s'agit-il ?

— D'anneaux, incrustés de pierres précieuses, et qui s'accrochent à la pointe des seins. Il y avait aussi une chaîne de taille, et un collier de jade, décoré de façon très spéciale.

— De signes phalliques ?

— Exactement.

— Mazette ! Mais… comment as-tu entendu parler de cette vente de charité, et comment comptes-tu entrer dans la maison ?

Voilà ce qu'elle aimait en Sarah. La façon qu'elle avait d'accompagner quelqu'un, et de le soutenir jusqu'au bout.

— J'ai engagé un détective. Il m'a servi de couverture et je lui ai tout dit. Il a trouvé un article sur la rénovation de l'hôpital, paru dans l'*Entrepreneur magazine* ; il y avait même une interview de M. Winchester.

— Une couverture, dis-tu ? Comme pour les espions ?

— Mais je ne l'espionne pas vraiment ! Tout ce que je veux, c'est récupérer le journal de grand-mère et ses bijoux.

— Allons bon, quelle histoire as-tu inventée ?

— En fait… Je voudrais que tu contactes ce fameux Sam de ma part, que tu lui expliques que je suis prête à offrir deux concerts et quelques heures de cours au collège de sa ville, et qu'en échange, j'aimerais faire l'expérience de la vie dans un ranch.

— Hum. Comment pourrait-il refuser, alors que tu proposes tout cela gratuitement ?

— C'est exactement là-dessus que je compte. De plus, il est le président de la collecte de fonds pour l'hôpital. Qui d'autre serait mieux désigné pour me recevoir ? Ce ne sera que l'affaire de deux petites semaines.

— Bien vu. De quelle taille est cette ville ?

— Moyenne. Mais elle est proche de Houston et de Galveston.

Jenna vit l'étincelle briller dans les yeux de Sarah.

— Ça me va. Au moins pourrai-je t'obtenir un peu de publicité de tout cet… événement.

— Alors, tu le feras ? Tu m'aideras ?

— Et toi, tu termineras ta tournée ?

Jenna sentit des frissons d'excitation lui parcourir l'échine.

— Tu peux me faire confiance, Sarah. T'ai-je déjà laissée tomber ?

8 octobre 1957

Cela fait déjà six mois que j'ai entamé ma recherche d'éveil au plaisir sexuel, mais je ne suis toujours pas parvenue à mes fins. J'ai eu quelques expériences intéressantes, qui ont satisfait mes besoins physiques, mais ce n'est pas assez. C'est même quelque peu décevant, sans que je sache exactement pourquoi. J'ai obtenu ce que je voulais, ce que j'avais prévu, mais cela ne m'a pas apporté le plaisir que j'en attendais. Peut-être n'ai-je pas encore rencontré l'homme qui saura me satisfaire. Il faut absolument que je trouve celui qui comblera tous mes sens. Il me suffit de garder les yeux ouverts.

Jenna referma le carnet et regarda par le hublot du 747, qui volait au milieu des nuages. Elle avait toujours cru que sa grand-mère avait aimé son grand-père de tout son cœur. A présent, après avoir lu cet extrait du journal, elle se demandait pourquoi sa grand-mère avait tant tenu à ce qu'elle en prît connaissance. Elle préférait nettement l'histoire d'amour candide qu'elle avait toujours entendue, et n'avait aucune envie d'apprendre quoi que ce soit sur les autres hommes que sa grand-mère avait pu fréquenter.

Au-dessus de sa tête, le signal indiquant qu'elle devait attacher sa ceinture de sécurité clignota. Le pilote annonça qu'ils approchaient de l'aéroport de Houston ; il était 1 heure de l'après-midi et en cette belle journée d'avril, la température était clémente.

Elle se pencha et attrapa l'étui à violon posé à ses pieds. A l'intérieur se trouvait un magnifique Stradivarius, cadeau de ses grands-parents pour son entrée à l'université.

Les souvenirs affluèrent. Elle se rappela comment elle avait quitté Rosewood, dans le Connecticut, pour se rendre à New York faire ses études. C'était pourtant bien la grande maison de style victorien de ses grands-parents qu'elle considérait comme son foyer. Le superbe appartement que sa grand-mère avait acheté pour elle à New York, afin qu'elle se sente à l'aise, et ne soit pas obligée de faire d'incessants allers-retours durant ses quatre années d'étude, ne représentait pas grand-chose pour elle.

Sa vie à l'université avait été à la fois une chance et un cauchemar. La notoriété de sa mère et de sa grand-mère lui avait nui : on la regardait comme un objet de curiosité et elle se sentait souvent seule. Son unique réconfort était dans la musique, et elle s'y était réfugiée, travaillant sans relâche, devenant un véritable prodige et se refermant sur elle-même davantage chaque jour.

Pourtant, elle n'avait nullement recherché cette consécration qui lui valait la crainte et l'admiration de ses coreligionnaires et de certains professeurs, même. Jenna aurait voulu être traitée comme les autres. Son talent devenait aussi un fardeau. La vie lui donnait une nouvelle leçon ; elle l'acceptait et en faisait les frais.

Douée dans nombre de registres, elle s'était également essayée au chant et avait une nouvelle fois suscité la jalousie des autres étudiants qui s'étaient mis à l'éviter ou à l'ignorer complètement. La musique, elle, demeurait un refuge rassurant et chaleureux où elle se sentait à l'abri. Elle était devenue comme une amie, et Jenna vivait en parfaite osmose avec elle.

Même sa grand-mère n'avait pas compris ses aspirations les plus profondes. La vieille dame n'avait pas caché sa déception lorsque Jenna avait choisi de développer son talent de violoniste, au lieu d'exalter sa voix exceptionnelle. Pour dire le vrai, Jenna ne souhaitait guère entamer une carrière qui la mettrait en compétition avec sa propre mère.

Caressant l'instrument dans son étui, elle fit délicatement courir ses doigts sur les cordes. Le simple fait de se rappeler le son si pur qu'elles produisaient la fit sourire.

Elle referma l'étui, le posa avec soin à côté d'elle, puis, attrapant son porte-documents, y rangea le journal de sa grand-mère.

Nerveuse à l'idée de ce qui l'attendait, elle s'agrippa au siège devant elle lorsque l'avion se posa sur la piste.

En se dirigeant vers la porte, elle se jura de ne pas quitter Savannah sans avoir récupéré ce qu'elle était venue y chercher.

Fidèle à sa promesse, Sarah avait envoyé une photo d'elle à Sam Winchester, afin qu'il puisse la reconnaître à l'aéroport.

Pour sa part, en revanche, elle n'avait aucune idée de ce à quoi il ressemblait ; mais peu importait. C'était probablement un policier à la retraite, avec un ventre proéminent et des cheveux grisonnants, qui ne manquerait pas de lui raconter les exploits de sa carrière. Il suffirait de l'écouter avec complaisance et elle réussirait bien à se le mettre dans la poche.

Son regard fut soudain attiré par un homme dans la foule. Sa première pensée fut qu'il était extrêmement séduisant. Il se tenait appuyé nonchalamment contre un mur, attendant visiblement quelqu'un, certainement une petite amie… il tenait un superbe bouquet de roses à la main. Son Stetson de feutre noir lui cachait une bonne partie du visage et révélait sa mâchoire, que l'on devinait ferme ; il avait les yeux baissés sur un petit morceau de papier qu'il serrait dans sa main droite.

Une grande veste en daim frangé recouvrait sa chemise noire, de style western. Ses épaules et son torse semblaient plutôt musclés, de même que ses cuisses, moulées dans un jean noir.

Eh bien ! La jeune femme qu'il attendait avait de la chance ! Un court instant, Jenna eut envie, elle aussi, qu'un homme aussi élégant et sexy l'attende à l'aéroport lorsqu'elle serait de retour chez elle.

Les haut-parleurs du hall annoncèrent de nouveau l'arrivée de l'avion et l'homme sursauta, comme si la contemplation de son morceau de papier l'avait empêché d'entendre le premier avis d'atterrissage.

Lorsqu'elle découvrit enfin son visage, Jenna en eut presque le souffle coupé : il était d'une beauté ravageuse. Elle observa au passage que d'autres femmes l'avaient remarqué, elles aussi, et se retournaient sur lui. Des mèches de cheveux brun foncé s'étaient échappées de son chapeau et balayaient son front.

Jenna frémit : leurs regards se croisèrent et elle découvrit ses yeux, d'un bleu profond et dont l'intensité était soulignée par une peau bronzée et le noir du chapeau. Il eut un air de défiance qui la fit se raidir, mais la seconde d'après, il lui souriait et quittait sa posture figée.

Son sourire la troubla. Il recelait, à son avis, à la fois le péché et le danger.

L'inconnu se dirigea vers elle, d'une démarche assurée, une pointe d'effronterie dans le regard. Jenna était comme pétrifiée. Mais elle ne pouvait s'empêcher de se demander vers quelle petite veinarde ce cow-boy dirigeait son pas viril. Il lui fallut un instant pour se ressaisir lorsqu'il s'arrêta devant elle, et faire un pas de côté pour le laisser passer. Mais au même moment, elle vit la photo qu'il tenait dans la main. Sa photo.

Il lui tendit les fleurs.

— Bienvenue au Texas, mademoiselle Sinclair. Nous sommes honorés de votre visite, et apprécions le soutien que vous nous apportez pour notre collecte de fonds.

Sa voix était grave et chaude. Bien trop belle pour être vraie, songea-t-elle. Durant un bref instant, elle ne sut

24

que répondre et se contenta d'accepter les fleurs qu'il lui tendait, jonglant avec son porte-documents et l'étui de son violon afin de tenir le tout. Son cœur battait avec frénésie. Le bel inconnu devait être un employé que Sam Winchester avait chargé de venir l'accueillir, lui-même étant peut-être trop occupé, ou malade.

— M. Winchester n'a pas pu venir ?

— Je suis Sam Winchester. Mais puisque nous allons vivre ensemble quelque temps, je vous en prie, appelez-moi Sam.

Il lui tendit la main pour la saluer et elle fut obligée de faire passer le bouquet dans son autre main, déjà bien encombrée. Elle sentit des étincelles d'électricité la parcourir lorsque leurs mains se joignirent.

— Vous êtes Sam Winchester ? insista-t-elle, visiblement très étonnée.

Il retira son Stetson et la regarda droit dans les yeux.

— Bien sûr que c'est moi. Qui attendiez-vous donc ?

Elle regarda ses cheveux sombres comme une nuit sans lune, assez courts sur le dessus de la tête, mais plus longs dans le cou et tombant en boucles sur le col de sa veste.

— Vous, rétorqua-t-elle avec gêne, mais vous êtes très différent de ce que j'imaginais.

— Vous pensiez rencontrer un cow-boy avec de la paille dans les cheveux ?

— Euh, non, plutôt un shérif vieillissant avec une grosse bedaine.

Il rit, et de nouveau elle put contempler ce sourire... si dangereux.

— Désolé de vous décevoir, m'dame.

— Qui a dit que je l'étais ?

Incroyable. Etait-ce bien elle qui venait de répondre sur ce ton libre et badin ? Elle n'avait pas pu empêcher les mots de franchir ses lèvres ! Sam sourit de nouveau, et pencha la tête de côté, l'air légèrement intrigué. Etaient-ils déjà en train de flirter ?

Il remit son chapeau sur sa tête.

— Bon, nous ferions peut-être mieux d'aller chercher vos bagages.

Il se pencha pour prendre son attaché-case et l'étui à violon, et Jenna sursauta lorsque leurs mains s'effleurèrent.

— Excusez-moi, dit-il.

— Non, je vous en prie, il n'y a pas de mal. Tenez, prenez mon porte-documents, mais je suis très maniaque en ce qui concerne mon instrument… Je ne le confie jamais à personne. Je crois que je porterai également les fleurs, dit-elle en lui décochant son plus beau sourire, essayant d'effacer la légère tension qui venait de s'esquisser.

— Désolé, j'aurais dû me rendre compte que les musiciens et leurs instruments sont aussi inséparables que les cow-boys et leurs chevaux, dit-il avec humour, faisant disparaître sa gêne sur-le-champ.

Comme il était séduisant, avec ses manières policées et sa voix grave ! Ils se dirigèrent vers la zone d'arrivée des bagages, et attendirent côte à côte ceux de Jenna. Il attrapa ses deux gros sacs, sans manifester le moindre effort, et se dirigea vers la sortie.

— Alors, dites-moi, pourrez-vous m'expliquer pourquoi vous avez tant souhaité venir jusqu'ici, dans notre bon vieux Texas, et donner un concert gratuitement ?

Heureusement, elle avait préparé sa réponse à cette question.

— J'ai voyagé dans le monde entier, j'ai découvert des endroits merveilleux, et tout ce que les plus grandes villes ont à offrir. Aussi, lorsque mon agent m'a parlé de cet article dans le magazine, et de vos efforts pour réunir de l'argent et pouvoir moderniser l'hôpital, je n'ai pas pu résister. Je me suis dit qu'il était temps pour moi de découvrir des villes de moyenne importance. Et puis, votre cause me semble juste.

Il hocha la tête et ils quittèrent le hall de l'aéroport. Sam avait garé sa voiture dans le parking en sous-sol. Après quelques instants d'errance entre les différentes allées, Sam s'arrêta devant un 4x4 noir aux chromes étincelants. Il posa les sacs à terre et introduisit une clé dans la portière du passager.

— Et comment avez-vous su que j'étais policier ?

Mince, ça, ça n'était pas dans l'article. Elle réfléchit à toute vitesse.

— Je crois que c'est une personne du lycée, qui me l'a dit.

— Je vois.

Il lui ouvrit la portière, puis plaça ses sacs et son attaché-case sur le siège arrière.

— Et vous, pourquoi avez-vous mis un terme à votre carrière ?

Elle posa son étui à violon sur le sol, derrière son siège, puis déposa le bouquet sur ses bagages. Puis elle regarda le 4x4. Le marchepied était surélevé, et elle devrait lever haut la jambe pour se hisser dans le véhicule. Cela n'aurait pas été un problème si elle avait porté un pantalon, mais sa petite jupe noire n'était pas vraiment l'idéal pour ce genre d'exercice.

— En fait… mon père est tombé gravement malade, et j'ai donné ma démission pour l'aider au ranch. Il est décédé l'an dernier, dit Sam en la regardant.

— Mais au départ… pourquoi avoir quitté le ranch ? demanda-t-elle, sans se laisser démonter par le regard sceptique que lui opposait Sam, devant les efforts qu'elle déployait pour grimper dans le 4x4.

Elle leva une jambe, et sa jupe révéla immédiatement la peau de sa cuisse nue. Aussitôt, elle reposa le pied à terre. Elle s'essaya à diverses contorsions, mais ne parvint pas à grimper suffisamment haut pour se glisser sur le siège.

Sam semblait s'amuser de ses efforts désespérés. Il devait pourtant bien y avoir un moyen de grimper dans ce satané 4x4 !

— Lorsque j'avais 18 ans, reprit-il, mon père et moi ne partagions pas les mêmes idées. Aussi ai-je rejoint la patrouille de police juste après ma sortie du lycée.

— Je croyais que vous étiez dans l'équipe des gardes forestiers ? dit-elle en prenant son élan pour une nouvelle tentative.

— Tous les Rangers sont choisis parmi les troupes de police. Donc, après avoir effectué mes huit années réglementaires au sein d'une équipe, j'ai postulé comme Ranger. J'ai été accepté, et ai exercé durant deux ans avant de rejoindre mon père au ranch.

Un court instant, elle resta là, dans la chaleur texane, à se demander comment diable elle allait bien pouvoir grimper dans cet engin, lorsque soudain, elle se retrouva dans ses bras… et sentit de nouveau des étincelles d'électricité lui parcourir le corps, au contact de son torse musculeux et puissant contre son vêtement fin.

— Ceci est-il considéré comme un service spécial aux passagères ? demanda-t-elle, ses yeux rivés aux siens.

Ils étaient si proches l'un de l'autre que, pendant quelques intenses secondes, le regard de Sam ne put se détacher du sien. La lueur de malice qu'elle avait perçue dans ses yeux durant les tous premiers instants de leur rencontre brilla à nouveau et se mua en quelque chose d'indescriptible qui la troubla, l'empêchant de détourner son regard. C'était comme écouter un air de musique inconnu et intense, si intense que l'on devait fermer les yeux pour en discerner les strates.

— Voyez-vous, bien que l'idée de vous regarder essayer de grimper dans mon 4x4, avec votre petite jupe si courte ne me déplaise pas, je pense que nous avons mieux à faire que de passer la journée sur ce parking.

Ses mains étaient sur elle et ses seins pressés contre son torse. Bon sang ! Elle sentait déjà des ondes de désir monter en elle ! Au même moment, une folle envie de goûter ses lèvres, à l'évidence si sensuelles, s'empara d'elle. Jamais elle n'avait éprouvé une attirance aussi forte. Cet homme possédait-il une arme secrète pour la mettre dans un tel état, et si vite ?

Il la déposa délicatement sur le siège passager, ses mains s'attardant sur ses épaules et sur ses cuisses. Lorsque, finalement, il les retira, elle eut envie de saisir son visage de ses deux mains et de se laisser aller à la passion dévorante qui s'emparait d'elle.

Au lieu de cela, elle s'installa confortablement dans son siège tandis que Sam faisait le tour du véhicule et grimpait à côté d'elle. Soudain, l'espace de la cabine sembla rétrécir.

Bon sang, elle était là pour retrouver le journal et les bijoux de sa grand-mère, pas pour se laisser aller à fantasmer sur un inconnu. Tout à coup, elle songea à l'extrait du carnet qu'elle avait lu dans l'avion. Existait-il quelque chose de l'ordre du plaisir à l'état pur ? Oserait-elle donner libre cours à ses élans ? Non. Il eut été vraiment incorrect de partir en quête du journal intime, tout en se laissant aller à ses plus bas instincts… A moins que… ?

Essayant de rassembler ses esprits et de désamorcer la tension ébauchée entre eux, elle se tourna vers Sam.

— Je suis désolée pour votre père. Je sais combien il est difficile de faire le deuil d'un parent dont on est proche : je viens tout juste de perdre ma grand-mère.

Il lui jeta un coup d'œil et soupira. L'air semblait toujours aussi chargé… de quoi exactement ?

— Moi aussi, je suis désolé. C'est terrible, de perdre quelqu'un qu'on aime. Je n'avais jamais compris à quel point cette ville et notre ranch me manquaient jusqu'au décès de mon père.

— Oui, on a souvent tendance à tout tenir pour acquis et on ne réalise jamais à quel point les êtres nous sont chers, jusqu'au jour où ils nous quittent.

Tournant la tête vers la fenêtre, elle regarda la ligne de l'horizon, vers Houston.

— Est-ce que cela vous manque de ne plus être un Ranger ?

— Un peu, parfois, mais j'aime la vie que je mène ici. Vous savez, notre ranch, le Wildcatter, est dans ma famille depuis des générations. Je n'aurais jamais pu le vendre, ni en confier la gestion à qui que ce soit. Alors, c'est moi qui mène la barque.

Elle reconnut la fierté qu'elle discernait dans sa voix. C'était la même qui émanait d'elle lorsqu'elle parlait de musique.

— Et qu'en est-il de votre rôle dans la modernisation de l'hôpital ? Cela m'intrigue beaucoup.

— Chaque ville a besoin d'un service d'urgences qui puisse traiter rapidement les cas les plus difficiles. Néanmoins, en m'engageant là-dedans, je ne m'attendais pas à devoir également gérer des différends d'ordre politique. D'autre part, autant vous l'apprendre, je suis le descendant du fondateur de cet hôpital. En fait, la ville elle-même porte le nom de mon arrière arrière-grand-mère, Savannah.

— Eh bien, je suis impressionnée ! Et vous vous occupez de cela, en plus de vos activités au ranch ? Pourtant, vous n'avez pas l'air d'un politicien.

Il avait l'air indomptable, sauvage, et elle ne parvenait pas à l'imaginer en costume, assis derrière une table de conseil municipal.

Il sourit et la regarda.

— Tout à l'heure, vous m'avez dit que je ne ressemblais pas exactement à ce à quoi vous vous attendiez, en pensant que j'étais policier. A présent, mademoiselle Sinclair, êtes-vous en train de me dire que je n'ai pas non plus le style qui convient pour faire de la politique ?

Oups. Que répondre à cela ?

— Je vous en prie, appelez-moi Jenna.

Elle le regarda attentivement, et ne put s'empêcher de laisser ses yeux courir sur son corps. Puis les mots fusèrent, sans qu'elle pût les retenir.

— Vous avez l'air bien trop honnête… pour faire de la politique.

Sam rit.

— Ça c'est mon fardeau ! D'ailleurs le maire lui-même me reconnaît cette vertu…

C'était exactement cela. Il avait l'air très honnête. Mais il en était de même pour son oncle, qui n'avait pas même attendu que sa grand-mère, sa propre sœur, fût mise en terre pour vendre ses biens.

— Une qualité indispensable chez un homme de loi, mais guère utile dans la négociation de marchés, n'est-ce pas ?

— On peut résumer les choses ainsi.

— Mais c'est ce qui participe de votre charme, peut-être ?

Il sourit.

— Eh bien, je dirais que l'honnêteté est déterminante dans toutes les relations.

Jenna hocha la tête. Si seulement elle pouvait lui faire confiance. Sam n'avait pas l'air d'être le type d'homme qui lui mentirait pour la priver des souvenirs de sa grand-mère, mais comment pouvait-elle en être sûre ?

— J'ai hâte de voir votre ranch.

— Qu'attendez-vous, au juste, de la « vie au ranch » ?

— Tout. Je veux découvrir ce que vous faites chaque jour.

— Vous avez envie de payer les factures ?

— Eh bien, peut-être pas ça, mais j'ai envie de faire une incursion dans la vie quotidienne d'un cow-boy. J'ai toujours été fascinée par ces histoires de Far West, improvisa-t-elle.

— Mon ranch ne ressemble à rien de ce que vous avez pu voir dans les séries télévisées ou au cinéma. Il est agréable, mais il n'a rien de glamour.

Sans même réfléchir, elle se pencha vers lui et posa une main sur son bras.

— Alors, aucun mélodrame, le soir autour du feu de camp ?

Sa bouche devint sèche lorsqu'elle découvrit la puissance des muscles de son avant-bras, tendu sous ses doigts. Durant quelques instants, elle fut incapable de retirer sa main.

2.

Au contact de cette main sur lui et à l'idée que cette superbe jeune femme venait emménager chez lui, Sam sentit ses sens s'embraser. Pourtant, il n'était pas né de la dernière pluie. Son ex-femme, Tiffany avait, elle aussi, été excitée à l'idée de voir son ranch, disant que ce serait une expérience fabuleuse, avant de décider qu'elle ne supportait pas l'endroit : le bruit, l'odeur des vaches, les chevaux, tout la dérangeait... même lui. Elle trouvait toujours une bonne raison de s'éloigner du ranch et de son mari. Sa vie n'était que journées de shopping, voyages chez de vieux amis ou dans sa famille... jusqu'à ce qu'il ne reste plus rien de ce couple que deux alliances et une bonne dose d'amertume.

Jenna n'avait toujours pas retiré sa main, ce qui commençait à éveiller une excitation chez Sam, comme l'avaient fait auparavant ses tentatives désespérées pour monter dans son 4x4.

— Non, aucun mélo. La plupart des gens pensent que la vie dans un ranch a quelque chose de romantique, mais en fait ce n'est que poussière, transpiration et travail à longueur de journée.

Cette délicate fleur d'intérieur se contenterait certainement de jeter un coup d'œil au bétail en pinçant le nez, puis rentrerait chez elle en courant. Et elle tenterait d'éviter les bouses de vaches, perchée sur ses talons aiguilles, complètement incongrus ici. Si ses chaussures étaient certainement superbes pour déambuler sur Park Avenue, elles seraient aussi ridicules qu'inutilisables au ranch.

Son parfum, en revanche, une fragrance certainement signée d'un grand nom, l'émoustillait.

— Je ne m'attends pas à un quelconque... divertissement.

Quelque chose dans sa voix le mit en alerte. Etait-ce le ton qu'elle venait d'employer, ou bien la façon dont elle détourna subitement le regard, comme si elle avait quelque chose à cacher ? C'était exactement ainsi qu'agissaient les suspects, lorsqu'ils mentaient.

Mais il se dit qu'il était grotesque et mit ses suspicions de côté. Tu parles ! Comme si elle ne s'attendait pas à se faire dorloter ! Il connaissait par cœur ce genre de femmes. Eh bien, si elle voulait vraiment découvrir ce qu'était la vie dans un ranch, elle allait être servie. Et d'ici moins de deux jours, elle le supplierait de la conduire dans un hôtel avec tout le confort et le personnel pour prendre soin d'elle.

Il ne pouvait cependant cesser de la contempler. Son invitée était vraiment très belle, et élégamment vêtue. Une fois installée sur son siège, elle avait retiré la veste de son tailleur, révélant un chemisier blanc de soie fine. Il avait bien failli faire une embardée sur la route, lorsqu'il avait découvert, alors qu'il lui jetait un regard en biais, la bordure de dentelle de son soutien-gorge qui émergeait de son décolleté.

Il s'engagea sur le petit chemin de terre qui menait à son ranch et tourna la tête vers elle, mais elle semblait perdue dans la contemplation du paysage. Ils passèrent devant le portail de fer forgé qui portait le nom de la propriété.

— Pourquoi votre ranch s'appelle-t-il le Wildcatter ?

— C'est mon grand-père, Sam Winchester, qui l'a baptisé ainsi. C'était le nom que l'on donnait à l'époque aux chercheurs de pétrole. Et c'était précisément son métier. Lorsqu'il est devenu riche, il a vendu tous ses titres, est venu s'installer ici et a édifié ce ranch.

Lorsque la bâtisse fut en vue, il lui montra du doigt une arène nouvellement construite, puis les paddocks dans lesquels se trouvaient le bétail et les chevaux. Derrière se dressait la grande maison, construite de bois de pin et d'orme et ornée d'immenses baies vitrées. La clôture et la grange, fraîchement repeintes, rutilaient.

Sam se gara tout près de la maison et coupa le moteur.

— C'est vraiment très moderne, observa Jenna.

— Oui, m'dame. Nous rénovons les bâtiments tous les cent ans, environ, même s'ils n'en ont pas besoin, ironisa Sam.

Elle le regarda, intriguée, mais il fit mine d'avoir rien vu et descendit du 4x4. Comme il en faisait le tour, il songea qu'il allait devoir l'aider à descendre de la cabine. Sa petite jupe ridicule ne lui permettrait pas de quitter le 4x4 de manière élégante. Mais devait-il s'en plaindre ? Rien qu'à l'idée de toucher Jenna une nouvelle fois, il sentit son cœur faire un bond.

Il ouvrit la portière côté passager et la regarda, quêtant en silence son approbation. Elle se retourna et attrapa l'étui de son violon.

— J'aimerais beaucoup que vous m'aidiez à descendre, dit-elle.

Son intonation distinguée l'irrita. Franchement, il n'avait guère le temps de s'amuser à faire découvrir les joies de la vie d'un ranch à une jeune citadine qui ne cherchait qu'à se distraire. Mais il se rappela soudain que c'était pour une bonne cause.

— Bien sûr, m'dame.

Il glissa une main sous ses jambes et retint son souffle en sentant la chaleur de sa peau sous ses bas. Il s'approcha un peu plus près et la prit dans ses bras, puis la fit descendre de son siège, aussi facilement qu'il l'avait fait monter, et l'emmena vers l'entrée. Le corps chaud et souple de la jeune femme était pressé tout contre le sien, et diverses pensées envahirent aussitôt son esprit. Sa peau était-elle douce ? Il aurait aimé pouvoir la serrer plus fort encore contre lui, pour mieux respirer son délicat parfum.

— Est-ce que ceci est considéré comme un geste de bienvenue ?

— Pardon ?

Elle sourit et il aperçut la petite étincelle qui brillait dans ses yeux.

— Vous êtes en train de me porter jusqu'à votre porte d'entrée. Pensez-vous que je ne sache pas marcher ?

Sam se rendit soudain compte de ce qu'il était en train de faire. Perdu dans ses pensées, dans le désir qu'il sentait naître, il l'avait amenée jusqu'à la véranda. Soudain, un bruit du côté des écuries attira l'attention de Jenna, permettant à Sam de se reprendre et de la poser à terre.

— Que font ces hommes ? demanda-t-elle.

— Ils dressent un étalon. J'élève de futurs cracks qu'il faut habituer à la selle. Celui-ci, dans le paddock est encore à moitié sauvage, il faut que nous l'entraînions.

— C'est excitant !

Sam haussa les épaules.

— Si on veut. En fait, ce n'est pas exactement la méthode habituelle, mais ce cheval-là est particulièrement retors, et ce n'est qu'en le montant que l'on obtiendra un résultat.

36

— Vous allez le monter pour le dresser ?

— Oui, il faudra bien.

— Vous en avez l'habitude ?

— Reposez-moi la question lorsqu'il m'aura jeté à terre et fait mordre la poussière. Bon, il va falloir que je les rejoigne, dès que je vous aurai installée à l'intérieur avec vos bagages.

Il lui vint soudain à l'idée que ce spectacle pourrait l'amener à considérer autrement la vie au ranch. Peut-être se rendrait-elle compte que ce n'était pas aussi divertissant que ce qu'elle avait l'air de croire. En tout cas, c'était ce qui s'était passé pour son ex-femme. Elle aussi avait considéré que la vie qu'il menait devait être excitante. Jusqu'à ce qu'elle réalise qu'elle devrait respirer à longueur de journée la poussière, l'odeur des chevaux et la sueur des hommes.

— Pourquoi ne resteriez-vous pas pour regarder ? Autant commencer votre initiation à la vie du ranch tout de suite.

Elle tourna la tête vers lui.

— Je suis un peu fatiguée.

Il scruta son regard.

— Peu importe. J'aurai à m'occuper d'autres chevaux durant votre séjour.

— Ce n'est pas que je ne sois pas intéressée…

— Je comprends tout à fait. Le travail de cow-boy n'est pas toujours très attractif.

Jenna lui avait dit qu'elle voulait *tout* connaître, mais il savait fort bien qu'une moitié lui suffirait amplement.

— Pourquoi dites-vous cela ? Parce que je suis une citadine ? Croyez-vous que je sois trop sensible pour supporter le spectacle ?

— Non. Du moment que vos chaussures tiennent le coup.

— Vous me mettez au défi ?

— Absolument.

— Eh bien allons-y. Montrez-moi.

— Pas dans cette tenue. En avez-vous apporté d'autres ?

— J'ai un pantalon.

— Des chaussures plus adéquates ? Des bottes, peut-être ?

— J'ai bien peur que non. Juste des mocassins.

— Vous n'avez pas songé à prendre des vêtements plus confortables ?

— Un pantalon et des mocassins. C'est ce que je porte lorsque j'ai envie de me sentir à l'aise.

— Eh bien, j'espère que cela fera l'affaire. Tout au moins jusqu'à demain. Vous pourrez trouver des vêtements plus appropriés dans les boutiques de Savannah.

Il la fit pénétrer dans un grand hall au parquet rutilant, éclairé par des fenêtres à claire-voie. Du plafond descendait un spectaculaire lustre reflétant l'éclat de la lumière du jour. Sur une table basse de verre aux pieds délicats, trônait un magnifique bouquet d'orchidées dont le suave parfum embaumait l'air.

— Je croyais que la vie dans un ranch n'avait rien de glamour, ironisa Jenna. Pourtant tout ceci me semble très glamour.

— Hm. C'est ce qui reste de l'influence de mon ex-femme, Tiffany.

— Oh, c'est magnifique.

— Oui, c'est exactement elle. Elle aimait les belles choses.

Il prit le bras de Jenna pour la guider vers le salon. De nouveau, le contact de sa peau contre la sienne provoqua des étincelles en lui.

Un jeune homme surgit de derrière une porte, et Jenna aperçut dans l'entrebâillement une cuisine moderne et impeccable, ainsi qu'une femme âgée qui se tenait devant le plan de travail.

— Voici Caleb, dit Sam, le fils de Red et Maria Spark. Maria est ma gouvernante. Caleb, lui, est un peu l'homme à tout faire de la maison. Il m'aide dans mon travail et donne également un coup de main à sa mère.

— Bonjour, Caleb. Ravie de vous rencontrer, dit Jenna en tendant la main au jeune homme.

— Ravi également, m'dame.

— Caleb, peux-tu te charger du bagage de Mlle Sinclair ? Elle va rester avec nous quelque temps.

— Tout de suite.

Le jeune homme disparut aussitôt, puis revint l'instant d'après avec le sac et le porte-documents, tandis que Sam se dirigeait vers un impressionnant escalier de bois. Il s'arrêta au second étage, devant une porte, et poussa Jenna à l'intérieur. La chambre, décorée dans le plus pur style traditionnel du Far West, était meublée d'un lit à baldaquin, d'une armoire peinte à la main et disposait d'une salle de bains adjacente.

— Lorsque vous serez prête, descendez et nous irons aux écuries.

Sa main s'attarda sur son coude, et elle leva le menton vers lui, pour le regarder. Elle avait les yeux d'un brun profond dans lequel il avait envie de se perdre. Lui souriant, il toucha le bord de son chapeau et quitta la chambre. Caleb entra et déposa ses bagages, puis lui tendit le bouquet de roses.

— Merci Caleb. Savez-vous où je pourrais trouver un vase ?

Caleb secoua la tête et sortit, refermant la porte derrière lui.

Tout en descendant l'escalier, Sam souriait. Une fois que sa visiteuse aurait respiré l'odeur des chevaux et abîmé ses chaussures de créateur, elle se dépêcherait de quitter son ranch et le laisserait tranquille.

Pourtant, il était conscient de l'attirance physique qu'elle exerçait sur lui, et cela ne lui plaisait guère. Il connaissait ce genre de femmes et n'avait aucune envie de s'encombrer d'une liaison. Heureusement, elle n'était ici que pour peu de temps. L'alchimie qui s'était déjà formée entre eux serait difficile à combattre. Il s'imaginait déjà, penché au-dessus d'elle, allongé entre ses cuisses laiteuses, sa bouche explorant son corps, la couvrant de baisers. Peut-être le fait de coucher avec elle, une seule fois, suffirait-il à calmer sa libido.

Pourtant, son instinct lui soufflait qu'il ferait mieux de se tenir éloigné de cette superbe créature.

Lorsqu'il se rendit aux écuries un moment plus tard, son contremaître, Tooter Dobson, accoudé à la barrière, le regardait approcher. Couvert de poussière des pieds à la tête, il plissait les yeux en observant Jenna.

— Alors, patron, c'est la fameuse violoniste ?

Sam pouvait presque entendre l'avertissement dans le son de sa voix. Une autre citadine, Sam ? Es-tu tombé sur la tête ou quoi ? Tiffany ne t'a pas suffi ?

Bon sang, Tooter devrait pourtant savoir qu'il ne s'engagerait jamais avec Jenna de façon sérieuse.

— Tooter Dobson, mon contremaître.

— Ravie de vous rencontrer.

Sam proposa à Jenna de s'installer contre la barrière, afin qu'elle puisse observer le spectacle. Ses autres employés se lançaient des regards en coin, et il savait parfaitement qu'ils pensaient tous la même chose que Tooter. Qu'est-ce que leur boss faisait avec ce genre de femme ?

Tooter ne bougeait pas d'un pouce.

— Alors ! Tu crois que nous allons rester plantés là toute la journée ? On s'en occupe, de ce cheval ?

Tooter eut un sourire ironique.

— Habituellement, ce n'est pas toi qui te charges de ce genre de boulot, boss. Il faut que je te prévienne que celui-ci est particulièrement coriace. Apparemment, ni la selle, ni le poids d'un homme sur son dos ne lui plaisent.

Jenna s'agrippa à la barrière. Bien qu'elle eût fort envie de profiter de ce moment pour chercher le carnet de sa grand-mère, elle était intriguée. Les employés menèrent l'étalon dans l'enclos. Sam décrocha de la barrière une paire de jambières en cuir, les accrocha autour de sa taille, et serra la ceinture. Bon sang, qu'est-ce qu'il était sexy !

Tirant ses gants de sa poche, il s'approcha de l'animal.

— Très bien. Si ce jeune crack fait le difficile, nous allons essayer la manière forte.

— Fais gaffe, Sam, il est vraiment têtu, le prévint Tooter.

— Parfait, parce que je le suis au moins autant que lui !

Tooter se mit à rire. Sam s'approcha tout près de l'étalon, et celui-ci essaya de le mordre.

— Oh là ! Tout doux. Je ne vais pas te faire de mal, mon vieux. Lorsque tu auras compris ça, on pourra peut-être s'entendre, tous les deux. Qu'est-ce que tu en penses ?

Jenna les contemplait, se demandant lequel des deux réussirait à prendre le dessus. Un des employés s'approcha et banda les yeux de l'étalon avec un foulard. Sam mit un pied à l'étrier, attrapa le pommeau et grimpa en selle. Puis il enfila l'autre étrier, serra les jambes autour des flancs du cheval et leva un bras. Son regard croisa celui de son employé et il hocha la tête. Alors le jeune homme retira le foulard des yeux de l'étalon. A peine l'eut-il ôté que l'animal se mit à faire des bonds de toutes parts, mais Sam s'y était préparé et se maintint en selle.

— Oh mon dieu ! s'exclama Jenna.

— Ne vous inquiétez pas, m'dame, dit Tooter. Notre Sam a une excellente assiette.

— Il a l'air tellement déterminé.

— Il l'est. Mais le cheval aussi.

Huit secondes passèrent, puis dix, et finalement Sam fut jeté à terre. Aussitôt, deux employés accoururent pour l'aider à se relever et à s'épousseter.

— Alors, tu lui as flanqué une leçon, ou bien c'est lui qui t'en a donné une ? demanda Tooter.

Sam rit. Soudain, son regard croisa celui de Jenna. Elle sentit son cœur cesser de battre. Jamais elle n'avait ressenti une telle émotion en présence d'un homme. Il était si sexy !

De nouveau Sam monta en selle et essaya de dompter l'animal. Seconde après seconde, il devenait de plus en plus maître de l'étalon.

Quelques instants plus tard, il mit pied à terre. Cette fois, il avait maté l'animal, mais Jenna était convaincue que tout n'était pas encore gagné. La prochaine fois, l'étalon ferait encore certainement des siennes, et Sam devrait de nouveau faire preuve de patience, et surtout d'endurance.

Elle attendit qu'il quitte l'enclos et vienne la retrouver.

— Pourquoi n'iriez-vous pas vous installer sous la véranda ? proposa-t-il. Je vais appeler Maria et lui demander de vous apporter de la limonade.

— Vous ne vous joignez pas à moi ?

— Non, j'ai encore du travail, et vous risqueriez d'abîmer vos jolies chaussures si vous veniez avec moi.

Il s'éloigna d'elle. Soudain elle se rendit compte que Tooter s'était approché.

— Quel spectacle ! dit-elle. Ils étaient aussi déterminés l'un que l'autre.

— Pour sûr, mademoiselle.

Une cloche sonna dans le lointain.

— Oh, c'est l'heure de manger. Je ferais mieux d'y aller avant que les gars dévorent tout !

Tooter la salua et s'en alla. Lorsqu'elle se retourna, Sam et le cheval étaient partis. Elle se dirigea vers la grange, où il commençait à doucher le cheval au jet. Elle s'arrêta net et déglutit en le voyant. Sam était nu jusqu'à la taille, seulement vêtu de son jean et de son Stetson.

Ne sachant que dire, elle s'approcha de lui.

— Pourquoi n'allez-vous pas vous reposer sous la véranda ?

Bon sang, qu'est-ce qu'il avait à la repousser comme ça ? Elle était peut-être new-yorkaise, mais elle n'avait pas peur des chevaux !

— Je peux peut-être vous aider ?

Il regarda par-dessus son épaule et secoua la tête. Puis, s'écartant du cheval, il attrapa une paire de bottes en caoutchouc.

— Tenez, enfilez ça.

Elle obéit. Sam prit un seau et commença à verser de l'eau chaude dedans, y ajoutant un savon spécial pour les équidés et un peu d'huile minérale. Puis, il lui tendit une

43

éponge. Elle la jeta dans le seau, puis releva ses manches. Après tout, elle avait lavé sa voiture des dizaines de fois. Cela ne devait pas être plus compliqué.

Elle récupéra l'éponge imbibée de savon et commença à laver les flancs du cheval. Soudain, elle sentit Sam juste derrière elle. Elle percevait presque la chaleur de son corps.

— Comme cela. Suis le sens de ses poils.

Sa main se posa sur la sienne et elle ferma les yeux un bref instant, tant elle était troublée par son contact.

— C'est toujours toi qui te charges de ces corvées ? demanda-t-elle.

— Habituellement non. Les cow-boys ne passent pas beaucoup de temps à panser leurs chevaux. Mais celui-ci n'est pas à moi et je dois en prendre soin. C'est l'aspect commercial des affaires qui occupe le plus clair de mon temps, mais la vie dans un ranch, c'est aussi cela.

Elle retint sa respiration : il s'approchait encore plus près, elle sentait son souffle chaud sur son oreille.

— Regarde, comme ça.

Sa voix était si douce, si chaleureuse, qu'involontairement, elle se rapprocha de lui. Elle tourna la tête et leurs visages se retrouvèrent soudain à quelques centimètres l'un de l'autre.

Tout à coup, un bruit résonna dans la grange et ils sursautèrent, reprenant leurs distances. Sam s'éclaircit la gorge.

— Attaquons l'autre côté.

Il prit une éponge et ils continuèrent à panser l'étalon. Puis Jenna s'écarta, tandis que Sam rinçait l'animal avec le jet d'eau. Elle sourit en le voyant essayer d'attraper l'eau de ses babines.

— On dirait que notre ami a soif, fit-elle remarquer.

— Oui, tu as raison. Pourrais-tu attraper un seau propre et lui donner à boire ?

Alors qu'elle s'approchait avec le seau, le cheval fit un écart et heurta le jet... qui se dirigea droit sur Jenna. Surprise, elle bondit en voulant éviter l'eau froide.

— Bon sang... je suis désolé, dit Sam.

— Tu parles, je suis sûre que tu l'as fait exprès !

Elle prit le jet d'eau et commença à emplir le seau.

— Non, je te jure... tu n'oserais pas, dit-il en regardant le seau qu'elle tenait entre ses mains.

— Oh que si !

Sam sourit.

— Ne fais pas ça, ma belle. Ou tu pourrais bien le regretter.

— Ah oui ? Vraiment ?

Sam dirigea le jet d'eau droit sur elle et elle lui lança le contenu de son seau tout en essayant de s'emparer du jet. Ils riaient tous deux aux éclats, et avant qu'elle n'ait eu le temps de comprendre ce qui lui arrivait, il la tenait serrée tout contre lui, un sourire langoureux sur les lèvres, et une petite flamme de défi brillant dans les yeux.

Prudemment, elle fit un pas en arrière et l'entendit gémir tandis qu'il rivait son regard à son chemisier blanc.

Elle baissa les yeux pour s'apercevoir que l'eau en avait imbibé la soie, ainsi que son soutien-gorge en dentelle blanche, révélant ainsi les larges aréoles brunes de ses seins. A la simple idée que Sam les regardait, elle sentit ses tétons se durcir et un véritable feu brûla dans ses veines.

— Sam ? Tu es toujours là ?

La voix de Tooter fit réagir Sam. Soudain, elle sentit qu'il lui passait son manteau autour des épaules. Elle glissa ses bras dans les manches et ferma le vêtement sur sa poitrine. Le manteau était bien trop grand pour elle et empestait l'odeur de cheval, mais c'était le geste le plus généreux qu'un homme ait jamais eu pour elle.

— Pourquoi ne rentres-tu pas à la maison pour te doucher et te changer ? Le dîner doit être prêt. Je te retrouve là-bas.

Jetant un dernier coup d'œil à sa silhouette musclée, elle quitta la grange. Mon dieu ! Pourquoi Sam Winchester n'était-il pas le vieil homme bedonnant auquel elle s'était attendue ?

46

3.

La pluie dégoulinait du chapeau bien trop grand que son hôte lui avait prêté, tandis qu'elle le suivait pas à pas. Sam, lui, semblait insensible à la pluie.

Ce lendemain matin, alors que le temps était exécrable et que Sam lui ouvrait grand la barrière de la grange, elle commençait à se dire que son plan, venir ici récupérer le journal de sa grand-mère, n'était peut-être pas une si bonne idée qu'elle l'avait cru. Elle se glissa à l'intérieur et fut assaillie par une odeur de foin et de chevaux. Ses narines frémirent et elle perçut également une odeur de terre qui éveilla en elle des souvenirs chers à son cœur.

C'était l'odeur du printemps, lorsque les tulipes commençaient à éclore, suivies des azalées et des rosiers de grand-mère. Elle se souvenait des jours anciens où elle s'asseyait dans le jardin, tout près de son aïeule, et l'observait tailler ses rosiers. La vieille dame se coiffait d'un grand chapeau de paille. Toujours aussi sophistiquée, même lorsqu'elle travaillait au jardin...

Les images lui firent fermer les yeux.

— Hé ! Tu as besoin d'une autre tasse de café ? demanda Sam.

Elle tressaillit et constata qu'il la regardait, amusé. Il était à peine 6 heures, ce matin, lorsqu'il avait frappé à sa porte, l'invitant à se lever et à s'habiller. Selon lui, rien ne valait l'aube, pour mieux apprécier la vie au ranch. Ce dont Môssieur le Cow-Boy ne se doutait pas, c'était qu'elle se levait toujours à cette heure-là, elle aussi, pour jouer du violon. Elle faisait ses gammes pendant une heure avant le petit déjeuner, et cela la mettait de belle humeur pour la journée.

— Non, je te remercie. En fait, l'odeur ici m'évoque le printemps, lorsque je regardais ma grand-mère jardiner.

— Oh, désolé. Moi aussi, parfois, les odeurs me plongent dans mes souvenirs. C'est fou, le nombre de choses dont on peut se rappeler, non ?

— Oui, c'est vrai.

Il lui tendit une pelle.

— Tu peux leur donner à chacun une pleine ration. Moi, je vais remplir les seaux.

— D'accord, chef.

— C'est toi qui as voulu participer.

— Pas de problème. Et je ne vais pas courir me réfugier dans un hôtel, si c'est ce que tu crois.

— Pourquoi penserais-je cela ? demanda-t-il, faussement innocent.

— Peut-être parce que tu m'as tirée de mon lit à l'aube pour m'amener ici, sous la pluie, et me faire remplir les seaux de grains.

— Tu parles d'une pluie ! C'est juste une petite bruine, qui d'ailleurs sera bonne pour l'herbe. Tu n'es quand même pas une mauviette qui redoute l'eau ?

Elle sourit. Sam était irrésistible.

— Grands dieux, je ne voudrais surtout pas que l'on me colle cette étiquette.

Il lui sourit. Vêtu comme il l'était, avec son grand manteau cache-poussière, et son Stetson sur la tête, il avait l'air d'une publicité vivante de cow-boy. Elle le regarda se débarrasser de son manteau et s'emparer de deux énormes crochets qu'il planta dans des balles de foin pour les transporter. Déposant celles-ci à ses pieds, il prit une fourche qu'il planta dans le foin et commença à le distribuer dans la première stalle.

Jenna le regardait travailler, détaillant chacun de ses gestes. Il n'y en avait pas un de trop. Elle avait rencontré nombre d'hommes bien plus sophistiqués que Sam Winchester, mais aucun d'eux ne l'avait fascinée à ce point. Pourtant, Sam ne faisait rien d'autre qu'accomplir un travail manuel très ordinaire !

— Alors, pourquoi ne veux-tu pas de moi ici ?

Elle s'empara d'une fourche. Sam cessa un instant de travailler et la contempla. Puis, il secoua la tête et se remit à l'œuvre.

— Je n'ai jamais dit que je ne voulais pas de toi.

— C'était inutile de toute façon. Je ne reste pas plus de deux semaines.

— Je te suis reconnaissant pour ce que tu fais, Jenna. Je crois simplement que l'idée de tirer une jeune citadine de son lit si tôt le matin, pour lui montrer ce qu'est vraiment la vie dans un ranch me plaisait assez.

— Cela t'étonnerait sans doute d'apprendre que je me lève à cette heure-ci tous les jours.

Il s'interrompit.

— Effectivement, cela me surprend.

— Je m'en doutais. Sache, pour ta gouverne, que j'aime m'exercer au violon dès que je me lève.

— Quel idiot ! Bon sang ! Dire que je t'ai traînée ici, sous la pluie, et que j'ai interrompu le cours de ton emploi du temps habituel.

— Ce n'est pas grave, vraiment.

Il la regarda, visiblement peiné.

— Si. Je l'admets. C'était nul.

Il se détourna et reprit sa fourche.

— Préviens-moi, la prochaine fois, si tu as envie de faire tes gammes.

— Je le ferai, ne t'inquiète pas.

Quelques heures plus tard, ils terminaient enfin leur besogne. Fatiguée, Jenna fit rouler ses épaules, sentant une tension entre ses omoplates. Sam la contempla. Il avait hâte qu'elle s'en aille, mais ne voulait pas qu'elle parte en moins bonne forme qu'elle n'était arrivée. Il s'approcha, posa ses mains sur ses épaules, et commença à lui masser la nuque du bout des doigts.

Jenna sentit chacune des cellules de son corps se mettre à vibrer à l'unisson des mains de Sam. Son cœur battait de plus en plus vite. Elle avait la sensation que Sam la caressait, plus qu'il ne la massait. Dans la grange, le silence s'intensifia. Il était palpable. Soudain, il fut comme une sorte de lien entre eux deux, un lien au parfum de cuir et de bois, qui mettait un frein à leur désir.

— Hé boss ! Tu es là ?

Sam retira aussitôt ses mains et s'éclaircit la voix.

— Oui, à l'intérieur, Tooter.

Jenna et Sam se tenaient à présent à une distance respectable l'un de l'autre. Tooter entra et toucha le bord de son chapeau.

— Mademoiselle Sinclair.

Tooter hocha la tête et se tourna vers Sam.

— Silver Shadow est prête à mettre bas, mais je me fais du souci pour elle. Les choses n'ont pas l'air de se présenter normalement.

50

— Je vais aller voir ça.

Tooter salua de nouveau Jenna d'un « m'dame », et partit. Elle regarda Sam.

— Je vois que tu es très demandé.

— C'est le cas. Si tu préfères rentrer à la maison pour t'entraîner, vas-y. Moi, je vais aller voir la future maman.

— Non, ça va.

— J'ai déjà perturbé ton emploi du temps ; et il me semble bien que tu dois donner ce soir ton premier concert.

Jenna ne discuta pas. Même si elle mourait d'envie de voir la jument, Sam venait de lui rappeler que la musique avait toujours été sa priorité ; d'ailleurs, elle était plus à l'aise dans ce domaine qu'elle maîtrisait que lorsqu'elle était la proie de ces curieuses sensations qui s'emparaient d'elle dès qu'il la touchait.

Elle avait encore en mémoire l'image de son père blessé, lorsque sa mère avait fait de l'opéra le centre de sa vie. Depuis lors, il n'avait jamais réussi à panser son cœur brisé. Aujourd'hui encore, Jenna n'avait aucune idée de l'endroit où son père vivait. Jamais elle ne ferait à quelqu'un le mal que sa mère avait fait. Et certainement pas un homme aussi fier que Sam. C'était une promesse qu'elle s'était faite depuis de nombreuses années, et qu'elle n'avait aucune intention de rompre.

La musique était toute sa vie.

Ce soir-là, Jenna se tenait en coulisses et observait son public. Un peu plus tôt dans la soirée, elle avait tenté de localiser le fameux bureau, mais elle avait dû venir s'exercer avec l'académie de musique de Savannah, ce qui ne lui avait guère laissé de temps pour prospecter.

Elle sentait naître une certaine appréhension, mais savait pertinemment que cela n'avait rien à voir avec le public. Jamais elle n'avait déçu une salle. Non, ce trac provenait du fait qu'elle souhaitait ardemment que Sam apprécie sa musique. Cela comptait plus que tout. Ce serait comme une réponse aux plaisirs qu'elle prenait à leurs travaux matinaux.

Outre les morceaux habituels de son répertoire, elle comptait en jouer un qu'elle avait ajouté spécialement à son intention, intitulé *Tempête*. C'était un air magnifique et elle espérait sincèrement qu'il lui plaisait. Soudain, une pensée terrifiante lui traversa l'esprit. Sam l'avait traînée sous la pluie pour prendre soin des chevaux et du bétail. Pour quelle raison s'intéresserait-il à sa musique ? Et pourquoi cela avait-il tant d'importance pour elle ?

— La salle est pleine, mademoiselle Sinclair, lui annonça le directeur de l'académie de musique, en lui posant une main sur l'épaule.

Il lui rendit le sourire qu'elle lui fit.

— Je vous ai entendue vous entraîner. C'était magnifique.

— Merci beaucoup, c'est très aimable.

— Non, ce n'est pas de la gentillesse, mais de l'admiration. Et c'est la stricte vérité.

— Alors, merci pour l'admiration.

L'homme était beau, élégant, et elle aimait son accent texan. Oui, il lui plaisait bien, mais pas comme Sam, dont la voix rauque résonnait encore à ses oreilles et semblait s'insinuer dans tout son être.

Elle s'enjoignit de se ressaisir. Bon sang ! La seule et unique raison de sa présence ici était de respecter les ultimes vœux de sa grand-mère et de retrouver son journal intime.

Le hall continuait à se remplir de gens qui se saluaient, puis cherchaient leurs sièges. Chacun était vêtu avec élégance et la lumière des lustres faisait briller les bijoux des femmes.

Soudain, les lumières se tamisèrent et le directeur de l'orchestre chuchota :

— Plus que deux minutes, mademoiselle.

Jenna prit son violon et, impatiemment, lissa sa robe noire. Sam avait été retenu dans la grange et elle ne l'avait pas vu avant de quitter le ranch ; c'était d'ailleurs un de ses employés qui l'avait conduite à l'académie.

Elle entendit son nom et retint son souffle. Puis elle quitta les coulisses et entra sur scène. Elle ne tenait guère à regarder Sam, qui se tenait au premier rang, assis à côté du maire et de sa femme. Au contraire, elle se força à regarder droit devant elle et salua le public qui applaudissait son entrée. Puis, elle porta son regard sur les sièges juste devant elle, et faillit en lâcher son instrument.

Au beau milieu d'une rangée de costumes sombres, il était assis là, vêtu d'une redingote noire, sous laquelle il portait un gilet rayé noir et gris et une chemise blanche.

Ses yeux croisèrent le regard bleu perçant de Sam. Il la dévorait des yeux. Jamais aucun homme n'avait provoqué en elle un tel émoi. En fait, tous les hommes qu'elle avait connus semblaient fades et inconsistants à côté de lui.

Elle se rappela le regard déterminé qu'il avait eu la veille, lorsqu'il avait essayé de dompter l'étalon, et elle se souvint de la force qui émanait de lui.

Il soutint son regard et inclina légèrement la tête pour la saluer, une petite lueur amusée au fond des yeux.

Elle observa sa bouche, si provocante, si sensuelle, se demandant soudain quel effet produiraient ses lèvres sur les siennes...

53

Il lui sourit — la narguait-il ? Elle détourna enfin son regard.

— Mesdames et messieurs, bonsoir. C'est un véritable plaisir, et un honneur pour moi, d'être parmi vous ce soir. Je suis fière d'être accompagnée par l'excellent orchestre de l'académie de musique de Savannah, et son brillant chef, Martin Slade.

Elle tendit la main en direction de l'orchestre, et de nouveau, la foule applaudit.

Puis, elle hocha la tête en direction de Martin Slade, qui leva sa baguette, attendant son commandement. Alors, portant le violon contre son menton, elle commença à jouer.

Les morceaux s'enchaînèrent. L'orchestre était parfait, la musique magnifiquement interprétée et le public visiblement sous le charme. Sam non plus, ne la quittait pas des yeux.

Lorsque le concert prit fin, elle s'avança vers le micro pour parler au public :

— Cela faisait longtemps que j'avais envie de visiter le Texas, et je voudrais profiter de l'occasion pour remercier Sam Winchester de m'accueillir chez lui.

Elle baissa les yeux vers lui et sourit.

— Sam, ce soir, je voudrais jouer un air spécialement pour toi. J'espère qu'il te plaira. Il s'appelle *Tempête*.

Les lumières s'éteignirent, laissant la salle dans l'obscurité totale.

Puis, soudain, un bref éclair illumina la scène, relayé par une lumière stroboscopique. Ensuite, un bruit résonna dans le théâtre, comme le grondement du tonnerre, habilement interprété par un roulement des tambours.

De nouveau, Jenna porta son violon sur son épaule. Elle en fit vibrer les cordes, et une note profonde, douce, descendit de la scène vers l'auditoire. Elle tint la note, longtemps, puis la laissa doucement décliner, pour terminer par un étourdissant silence. Lorsqu'un nouveau flash de lumière emplit le théâtre, suivi du roulement de tonnerre des tambours, elle reprit sa mélodie et tint la même note fascinante. Puis ses doigts se courbèrent et l'archer fit résonner un son d'une pureté éclatante. Ses doigts volaient au-dessus des cordes, tandis que Sam fermait les yeux, laissant la musique l'enivrer.

Elle joua une nappe d'accords stridents, en *staccato*, qui donnèrent à Sam la chair de poule. La musique semblait chargée d'orage, et sa plainte évoquait des prairies inondées, chuchotait le gémissement du vent, la brume et l'ombre des grands cèdres au-dessus du Rio Grande. Elle imitait les gouttes de pluie et tout l'auditoire retenait son souffle pour mieux savourer chaque mesure.

Sam avait l'impression que chaque corde vibrait et pénétrait en lui, jusqu'à un endroit demeuré si secret qu'il en avait à peine conscience. Il ignorait pourquoi, mais tout en le faisant rêver, la musique l'excitait, faisait battre son pouls de plus en plus vite. Puis, soudain, il se rendit compte que tout son corps brûlait de désir.

Il était rivé à son siège, fixant le visage de Jenna, tandis que les notes de musique résonnaient dans l'air. Il était comme hypnotisé. Lorsque leurs regards se croisèrent, il sut que s'il ne possédait pas cette femme, son désir le rendrait fou.

Il aurait voulu la toucher tout de suite ; la serrer contre lui, l'embrasser passionnément, et la faire sienne dans l'instant.

Pour se calmer, il inspira profondément. Bon sang, il en transpirait presque. Habituellement, les femmes ne le mettaient pas dans un tel état, mais celle-ci, avec son regard si fier, avait réussi à le subjuguer.

Délicieuse, charmante, séduisante : tous ces termes lui convenaient, mais aucun ne parvenait à décrire la force de l'attraction qu'elle exerçait sur lui.

La foudre crépita, le tonnerre gronda, puis Jenna joua la dernière note et attendit l'ultime halo du projecteur.

Alors, la foule se rompit en applaudissements. Sam les entendit à peine et se précipita dans les coulisses. Lorsqu'il y parvint, Jenna avait déjà quitté la scène, et il faillit se heurter à elle. Il la prit par les épaules.

— Jenna, je…

Jamais Sam n'avait ressenti autant d'émotion en présence d'une femme. Jenna Sinclair avait vraiment quelque chose de particulier. Elle avait un corps sublime et sentait divinement bon. Même dans l'obscurité des coulisses, il discernait les voluptueuses courbes de son corps. Et il savait d'avance qu'elles s'harmoniseraient parfaitement avec celles de son propre corps.

— Sam… il faut que je me change. Je ne veux pas être en retard pour la réception qui a lieu à l'hôtel, je crois.

Elle le fixait de ses grands yeux bruns fascinants. La sentir si proche le troublait intensément. Un instant s'écoula, et Sam gonfla ses poumons pour reprendre contenance… et respirer une fois encore son parfum si suave.

— Très bien, je vais t'accompagner.

— Merci.

Il la laissa passer devant et la suivit jusqu'à sa loge.

— Préfères-tu que je t'attende dehors ?

— Non. J'ai besoin d'aide avec ma fermeture Eclair.

Il la suivit à l'intérieur et Jenna lui présenta son dos. Il baissa la fermeture, ses mains tremblant légèrement au contact de sa peau soyeuse. Puis elle s'écarta de lui et disparut derrière un paravent.

56

Il entendit le bruissement du tissu lorsqu'elle retira sa robe, et ferma les yeux.

Lorsqu'elle alluma la petite lampe située à côté d'elle, derrière le paravent, il perçut les ombres de sa silhouette et frissonna de désir. Il ne pouvait plus détacher son regard d'elle et sentait son pouls battre de plus en plus vite. Combien de promesses de volupté se trouvaient là, juste à portée de main !

Le souffle coupé, il la regarda lever les bras au-dessus de sa tête et vit un tissu léger descendre sur son corps. Il l'imagina en train de glisser de sa voluptueuse poitrine, jusqu'à ses cuisses qu'il devinait fermes. Fasciné, excité, il se dirigea vers le paravent. De nouveau, il ferma les yeux, essayant de maîtriser son désir. Jenna était une femme sophistiquée et avait le même mode de vie que celui qu'avait abandonné son ex-femme, pour mieux le regretter, une fois qu'elle s'était trouvée isolée au ranch. Cependant, Jenna, elle, serait partie d'ici peu, alors pourquoi ne pas laisser son désir s'exprimer librement ? Le seul danger à courir était de s'impliquer au-delà d'une simple liaison avec elle. Jenna était habituée à voyager, c'était une musicienne célèbre, et la gloire faisait partie de sa vie, une vie à laquelle elle ne renoncerait certainement jamais. Mais après tout, n'était-ce pas ce qu'il souhaitait réellement ? Une liaison sans attaches. Cela la rendait encore plus désirable à ses yeux.

Il se tenait encore tout près du paravent, les mains posées dessus, lorsqu'elle en sortit et le regarda, interloquée. Ses yeux passèrent du paravent à la lampe, puis se fixèrent sur les vêtements qu'elle venait d'ôter. Elle lui lança un regard interrogateur. Sam sentit alors le sang affluer dans ses veines. La pensée de sa peau veloutée et son regard brûlant eurent raison de ses bonnes résolutions. Le désir qu'il avait vainement essayé de contrôler fut plus fort que tout, et il l'attira tout contre lui.

Sa bouche rugueuse fondit sur la sienne, plus douce que du velours.

Jenna retint son souffle. Elle s'était attendue à lire une certaine moquerie dans ses yeux, ou peut-être une invite, lorsqu'elle avait réalisé qu'il l'avait peut-être observée, nue à travers le paravent. Mais ce qu'elle découvrait était plus profond, plus fort, plus violent. Ce qu'elle devinait dans ses yeux bleus si intenses était le même désir qui brûlait en elle. Ainsi que la même envie de garder ses distances et d'éviter les erreurs. Les mêmes barrières que les siennes.

Elle posa ses mains sur ses épaules musclées, puis caressa son torse.

— Chérie, dit-il, tu es absolument délicieuse.

Il continua à l'embrasser passionnément, tandis qu'elle se sentait fondre de plaisir.

Jenna retint son souffle lorsque les mains viriles commencèrent à explorer son corps et vinrent se poser sur ses fesses.

— Oui… gémit-elle d'une voix sourde, tout en sentant, à travers son pantalon, son sexe dur se presser contre elle.

Il la serra plus fort encore, frottant son sexe contre le sien. Elle avait le souffle court et haletait sous la pression de sa bouche.

Un coup violent frappé à la porte brisa son élan, la forçant à ouvrir les yeux et à réaliser où elle était et ce qu'elle faisait. Elle repoussa Sam des deux mains, se demandant comment elle avait pu se laisser ainsi aller.

Sam la lâcha et s'écarta d'elle.

— Un moment, cria-t-elle. J'arrive tout de suite.

Elle jeta un coup d'œil dans le miroir, rectifia son rouge à lèvres et tenta de passer devant Sam pour ouvrir la porte.

Mais il l'attrapa par la taille et ses lèvres chaudes se glissèrent dans sa nuque où il déposa un langoureux baiser.

Se sentant de nouveau excitée, elle s'écarta néanmoins de lui.

— Sam ! Il faut que j'aille ouvrir la porte.

— Je sais, répondit-il en la laissant passer.

Lorsque Jenna ouvrit pour accueillir les élèves de l'académie, impatients de la retrouver, elle s'aperçut qu'elle venait d'entrevoir ce que pouvait signifier la passion que sa grand-mère décrivait si bien dans son journal intime.

Mais elle n'était pas ici pour vivre une liaison passionnée.

Elle avait d'autres objectifs.

Même si la passion venait de se révéler à elle, avec son cortège de promesses sensuelles.

4.

Ils roulèrent en silence, mais Jenna ne parvenait pas à ôter de son esprit le souvenir de leur baiser. Elle n'osait pas regarder Sam. Même dans l'obscurité de la cabine, elle savait qu'elle n'aurait pas pu échapper à l'attrait de ses lèvres... si charnelles. Elle se tourna sur le côté, et soupira.

Il rompit le silence, la ramenant à la réalité.

— Je ne savais vraiment plus ce que je faisais.

Il avait prononcé ces paroles sans même la regarder.

— Soyons honnêtes, nous sommes tous les deux aussi coupables l'un que l'autre. Tout cela était très... spontané. Dès que nous sommes côte à côte, il y a une sorte d'électricité entre nous.

Sam soupira.

— Je sais. Mais tu es mon invitée.

— Et si tu traites toujours tes invitées de la sorte, je te préviens, je reviens !

Il s'esclaffa et se tourna vers elle, tout sourire. Jenna observa une nouvelle fois sa bouche. Quel effet cela lui ferait-il de sentir ses lèvres sur son corps, sur ses seins... entre ses cuisses ? Elle frissonna en imaginant la scène et pria silencieusement pour qu'ils arrivent bientôt à la réception.

Lorsqu'ils parvinrent à l'hôtel où devait se dérouler la soirée, elle se débrouilla pour descendre seule du 4x4. Si jamais Sam posait de nouveau les mains sur elle, elle ne répondait plus de rien.

Il l'observa et lui tendit le bras. Se rappelant que se retrouver en contact aussi étroit avec lui n'était pas une bonne idée, elle fit mine de n'avoir rien vu et avança seule. Lorsqu'elle parvint dans l'immense hall, Sam était encore deux pas derrière elle. Pourtant, elle ne ralentit pas son allure, pas même pour admirer l'élégance du lieu.

Sur un piédestal s'affichait une immense photo d'elle, ainsi que les indications pour se rendre à la réception. Jenna s'enfonça dans l'épais tapis bleu. Elle était presque parvenue au seuil de la grande salle, lorsqu'elle sentit la main de Sam sur son bras.

— Hé bébé ! Il n'y a pas le feu !

S'il savait ! C'était sûrement le feu qui courait précisément dans ses veines, parce que jamais elle ne s'était sentie dans un tel état. Elle serra les dents, inspira profondément et se tourna vers lui.

— Je ne voulais pas faire attendre les invités.

Il lui désigna un tableau accroché au mur.

— Je voulais te montrer le portrait de mon arrière arrière-grand-mère. Comme je te l'ai déjà dit, la ville porte son nom.

Jenna se tourna vers la peinture, trop heureuse de détacher son regard de Sam. Etonnée, elle constata que l'aïeule de Sam avait de nombreux traits physiques en commun avec lui : la même mâchoire ferme, les mêmes yeux d'un bleu si profond, et les mêmes lèvres sensuelles.

Sam regardait le portait d'un air grave.

— C'était vraiment une lady. Elle a aidé mon arrière arrière-grand-père à édifier une vie stable, elle a amené la médecine dans cette ville et a fondé le journal local. Et jusqu'à son décès, elle a toujours pris soin des autres.

Visiblement, Sam était fier de son héritage, et c'était tout à son honneur. Ses aïeux avaient construit une ville agréable, et aujourd'hui, il poursuivait leur œuvre.

— Et toi, tu marches sur leurs traces en essayant de moderniser l'hôpital.

— J'aurais tant aimé la connaître lorsqu'elle était jeune.

Il rit.

— Ce qui est tout à fait impossible, évidemment.

Soudain, Jenna sentit des larmes lui brûler les yeux, elle se tourna pour les dissimuler, mais il était déjà trop tard.

— Je suis désolé, dit Sam. Je ravive le souvenir de ta grand-mère.

— Ne t'inquiète pas. C'est juste que tout ceci est tellement récent ; et lorsque je me rends compte qu'elle est vraiment partie, cela me fait mal.

— Je comprends. A une époque, il m'arrivait souvent de vouloir discuter de certains sujets avec mon père. J'avais envie de prendre le téléphone et de parler avec lui, mais c'était impossible parce que, déjà, il n'était plus là.

— Dis-moi qu'avec le temps, les choses deviennent plus faciles.

— C'est le cas.

Elle s'essuya les yeux avec le mouchoir qu'il lui tendit.

— Tu es un bon menteur.

Sa présence, sa douceur : c'était tout ce dont elle avait besoin. De nouveau, ses yeux se posèrent sur sa bouche.

— Continue comme ça, et nous n'irons jamais à cette réception.

— Continuer... quoi ?

— A fixer mes lèvres ainsi. Ça me rend fou.

Ça le rendait fou. Tout comme elle. Il la rendait folle de désir.

Tandis qu'ils marchaient le long du corridor, ils entendirent des notes de musique. Ils pénétrèrent dans une vaste salle où un magnifique buffet avait été dressé. Trois superbes lustres descendaient du plafond et de nombreux couples dansaient sur le parquet ciré.

Les applaudissements fusèrent dans un coin, et continuèrent jusqu'à ce que toute la salle fût en train de frapper dans ses mains. Jenna était stupéfaite de découvrir autant de chaleur dans leurs regards. Tandis qu'elle s'avançait, chacun la félicitait.

Elle hocha gracieusement la tête à chaque compliment, saluant et remerciant chacun. A côté d'elle, Sam se sentait complètement inutile et vexé qu'elle n'ait toujours pas pris son bras.

Ils s'avancèrent un peu plus dans la salle. Une femme entre deux âges, aux longs cheveux blonds, entama une conversation avec Jenna.

— Vous jouez superbement bien. Où avez-vous appris ?

Sam s'éloigna et se dirigea vers le bar, où il commanda un whisky qu'il but d'un trait. Puis il demanda au garçon un verre de vin blanc, et un autre whisky, qu'il prit avec lui, cette fois, en retournant auprès de Jenna. L'ayant rejointe, il lui tendit le verre de vin blanc. Elle lui sourit, et effleura sa main en saisissant le verre. Sam eut le temps de voir la petite flamme briller dans ses yeux avant qu'elle ne se raidisse. Alors, soudain, il comprit. Elle ne voulait pas le toucher, parce qu'elle était attirée par lui. Voilà pourquoi elle refusait de prendre son bras.

Il saisit quelques bribes de la conversation.

— Vos concerts vous amènent-ils à voyager dans des contrées exotiques ? demanda une femme vêtue d'une élégante robe noire, tout en sirotant son champagne.

Jenna se tourna vers elle en lui souriant. Il aimait la façon dont son visage s'éclairait, tandis qu'elle répondait.

— En fait, je voyage presque toute l'année. Je suis allée à Rome, à Saint-Pétersbourg et à Budapest. J'ai donné des concerts pour Noël à Londres, et pour le nouvel an à Milan. Toutes ces villes sont magnifiques.

— Combien de temps devez-vous vous exercer chaque jour ? demanda un homme vêtu d'un costume bleu nuit, et d'un Stetson flambant neuf.

— Cela dépend, répondit Jenna. Si j'apprends un nouveau morceau, environ quatre heures. Sinon, deux ou trois suffisent.

D'autres questions suivirent, auxquelles elle répondit avec la même patience et la même gentillesse. Soudain, Sam songea qu'elle en avait assez fait.

— Ecoutez, dit-il aux personnes qui entouraient Jenna. Mlle Sinclair n'a encore rien avalé de la soirée. Laissons-la aller se restaurer un peu.

Il lui tendit la main, et Jenna l'accepta. Une véritable décharge électrique le parcourut lorsqu'il sentit sa paume dans la sienne, mais il se refusa à la lâcher, et l'attira vers lui. Peut-être danser avec elle l'aiderait-il à se reprendre. Ce fut pire.

— Est-ce que tu prends toujours ainsi tout en charge ? demanda Jenna.

— Eh bien, lorsque je vois une personne, supposée être mon invitée, se faire bombarder de questions alors qu'elle a l'air exténuée, que veux-tu, c'est plus fort que moi, je ne peux pas m'empêcher de voler à son secours.

Elle le fixait, et de nouveau ses yeux glissèrent jusqu'à ses lèvres.

— Est-ce que c'est vrai, demanda-t-il, que tu voyages presque tout le temps ?

Elle releva les yeux vers les siens, et il se sentit soulagé.

— Oui, je voyage une bonne partie de l'année, et le reste du temps, je pratique mon instrument. Cela me convient tout à fait.

— Et quand est-ce que tu t'amuses ?

— Que je m'amuse ?

— Oui, tu sais, les choses que l'on fait, et qui nous font plaisir, ou nous permettent de nous relaxer. Tu te souviens ?

— Hm, oui. J'en ai un vague souvenir.

— Eh bien, pourquoi ne profiterions-nous pas de ton séjour ici pour te créer d'autres souvenirs de ce genre ?

Elle cligna des yeux et regarda au loin, alors qu'une rougeur lui montait aux joues.

— Tu danses très bien la valse, dit-elle en continuant à éviter son regard.

Soudain, Sam se souvint de Tiffany lui apprenant la valse. Que diable était-il en train de faire ? Les voyages que Jenna venait de mentionner ne lui rappelaient que trop la précipitation de son ex-femme pour s'éloigner du ranch dès qu'elle en avait l'occasion. La vie là-bas lui pesait et elle s'y ennuyait fermement. Quant à lui, il n'avait pas l'intention d'entamer une quelconque liaison avec une femme qui serait absente en permanence. Leur baiser n'était rien d'autre qu'une erreur, à mettre sur le compte

66

de sa libido et d'un excès d'hormones. Il valait bien mieux pour lui comme pour elle qu'il garde ses distances.

— Que dirais-tu d'aller manger quelque chose ? demanda-t-il.

Elle leva les yeux vers lui et eut l'air intriguée. Apparemment, elle avait perçu un changement en lui. Bon sang, il n'y pouvait rien ! Son ex-femme lui avait brisé le cœur, en le laissant seul dans une maison et un lit vide.

Il avait envie de remplir les deux avec une femme qui resterait à ses côtés. Mais c'était là la seule chose que Jenna ne pouvait lui offrir.

Durant toute la soirée, elle alla de groupe en groupe, discutant avec chacun, évitant Sam soigneusement. Il l'observait de loin, ressentant toujours autant de désir pour elle. Son propre comportement l'agaçait. Il n'avait pas l'habitude de se retrouver dans une telle situation, à désirer ce qui n'était pas bon pour lui.

L'orchestre joua un air déchirant et il se sentit encore plus mal à l'aise. Les notes de musique intensifiaient la prémonition qui ne l'avait pas quittée de la soirée. Bon sang, il avait tout fichu en l'air en l'embrassant. Qu'est-ce qui lui avait pris ? Jamais de sa vie il ne s'était comporté ainsi avec une femme.

Après avoir passé plus de vingt minutes à la contempler à distance, il observa quelques signes de fatigue sur son visage, même si elle faisait tout pour les cacher. Peut-être lui était-il donné de les voir parce qu'il la connaissait un tout petit peu, après ces deux jours passés ensemble. Quoi qu'il en fût, jamais il n'admettrait l'idée qu'il aimerait apprendre à mieux la connaître encore, et sur un terrain plus intime. Lorsqu'il s'aperçut qu'elle venait de réprimer un bâillement, il sut que c'était à lui de jouer. Il s'approcha d'elle et l'attrapa par le coude.

— Allez, dis bonsoir.

Elle se tourna vers lui et le regarda.

— Ça va, il est encore tôt.

— Il est déjà plus de minuit, Jenna.

— Vraiment ?

— Oui, dis bonne nuit. Tu tombes de fatigue.

Un groupe d'étudiants s'approchait ; le même qui l'avait déjà monopolisée une bonne partie de la soirée.

— Dis-leur que tu t'en vas.

— Je ne voudrais pas les décevoir. Je peux rester encore une demi-heure.

Il soupira, regarda les étudiants et comprit pourquoi elle agissait ainsi. L'émotion se lisait sur leurs figures ; leurs craintes, leurs espoirs, leurs rêves. Le fait qu'elle y fût attentive l'étonna. Jamais il n'aurait cru qu'une femme comme elle pût se soucier de quelqu'un d'autre que d'elle-même ; de la même façon qu'il avait cru qu'elle était du genre à dormir jusqu'à 9 heures du matin et à réclamer toute l'attention des domestiques. Jusqu'à quel point s'était-il trompé à son sujet ?

Il lui tapota le bras.

— Tu as encore un atelier et un autre concert pour répondre à toutes leurs questions. Et d'ailleurs, je suis fatigué moi aussi.

— Vraiment ? Oh, pardon, bien sûr que tu dois l'être, excuse-moi. Laisse-moi juste remercier le président de l'académie et nous y allons.

Confortablement installés dans son 4x4, enveloppés par la nuit noire, ils reprirent la route du ranch. Lorsque Sam jeta un coup d'œil à Jenna, il vit qu'elle avait les yeux fermés et la tête posée sur l'appuie-tête. Elle était épuisée, mais il leur avait fallu quinze bonnes minutes pour quitter la salle de bal. Puis ils avaient été retardés par diverses personnes qui avaient réclamé des autographes, ce qui leur avait encore pris un bon quart d'heure. A présent, il était plus de 1 heure du matin, et lui aussi commençait à ressentir sérieusement la fatigue.

Le pire était qu'il allait devoir se lever à l'aube pour les travaux quotidiens au ranch. Et s'il ne s'occupait pas rapidement de la pile de papiers qui encombrait son bureau, il risquait d'être bientôt submergé.

Jenna se réveilla en sursaut et se rendit compte que c'était uniquement parce que Sam avait ouvert sa portière.

— Allez, belle endormie, nous sommes arrivés.

Elle se leva et voulut descendre du véhicule, mais encore ensommeillée, elle perdit l'équilibre... et fut rattrapée par une paire de bras solides.

— On dirait bien que tu ne peux ni monter ni descendre de ce 4x4 sans aide, plaisanta Sam.

— Cet engin est bien trop haut, grogna-t-elle.

— Plus haut qu'une limousine, ça c'est certain.

De quoi parlait-il ? Des limousines ? Elle ne se déplaçait qu'en taxi. Bien sûr, il lui était déjà arrivé de monter dans une limousine, mais ce n'était nullement dans ses habitudes.

Elle le regarda au fond des yeux et perdit le fil de ses pensées, se noyant dans le bleu de ses yeux.

Puis, elle regarda le ciel et soupira. Les étoiles brillaient, nombreuses dans la nuit noire. Vivant dans une métropole, elle n'avait encore jamais prêté attention à leur intensité. Elle faillit se cogner la tête en essayant de regarder le ciel dans toute sa largeur

— Descends donc de là avant de te faire mal ou de tomber, dit Sam.

— Droit dans tes bras ? demanda-t-elle en sentant des étincelles de passion fourmiller dans son corps.

Il lui tendit la main pour l'aider.

— Cela ne serait pas pour me déplaire, répondit-il en lui souriant.

— A moi non plus, chuchota-t-elle.

— C'est vrai ?

— Pourquoi pas ? Du moins, juste pour quelque temps.

— Ça me va.

— Il faudra bien. Parce que ma vie, c'est la musique.

— Est-ce un avertissement ?

Elle se rendit compte que c'était le cas. Oui, la musique passerait toujours avant tout, elle en avait pris conscience dès son plus jeune âge, dès qu'il lui avait fallu fixer ses priorités. Sa grand-mère avait choisi l'amour, mais sa mère avait préféré la musique. C'était son cas à elle aussi, et elle frissonna en comprenant à quel point elle ressemblait à sa mère. Mais la différence, c'était qu'elle ne manipulerait jamais qui que ce soit. Sa mère, elle, utilisait les gens. Elle les cajolait et se jouait d'eux. Elle, elle préférait être franche et aller droit au but. Même si cela comportait quelques risques.

— Lorsque je couche avec un homme, j'aime qu'il comprenne mon mode de vie.

— Parce que nous allons coucher ensemble ?

— Sam, chaque fois que tu me regardes, je me sens dans tous mes états.

Il poussa un soupir et la tint un peu plus serrée contre lui. Il baissa la tête. Elle leva le menton. Et leurs bouches se scellèrent, aussi avides l'une que l'autre.

Elle n'avait pas vraiment souhaité ce baiser. Tout du moins pas en cet instant, où elle se sentait trop fatiguée et excitée par le concert. Elle savait pertinemment qu'elle était en train de baisser sa garde, et que le désir qu'elle éprouvait pour lui était particulièrement violent.

Elle lui rendit néanmoins son baiser. Il l'embrassait, la dévorait presque, écartant ses lèvres de sa langue, la plongeant en elle pour la caresser le plus intimement possible.

S'offrant à lui, elle le laissa posséder sa bouche autant qu'il en avait envie et se mit à gémir. Se pressant contre lui, ils ondulèrent au rythme du désir qui les dévorait, et elle comprit, qu'après tout, seule l'urgence de satisfaire son envie lui importait. Oui, tout ce qu'elle souhaitait c'était que Sam Winchester la possède et attise le feu qu'il avait allumé en elle.

Elle glissa ses mains dans la ceinture de son pantalon et en sortit sa chemise, puis commença à le caresser. Elle soupira de plaisir tandis que Sam glissait ses mains sous ses vêtements, caressait ses seins, puis déboutonnait le bustier de sa robe et en écartait les pans.

Il la poussa contre le 4x4, et, de sa main libre, souleva le bas de sa robe jusqu'au haut de ses cuisses avant de se presser contre son aine. Il ondula contre elle tandis que sa bouche suçait son téton et qu'il l'excitait de plus belle. Jenna le caressait, elle aussi, et il sentit le désir les gagner tous deux de plus en plus fort.

— Oh mon Dieu, Jenna, j'ai tellement envie de toi…

Prenant sa tête entre ses mains, il se mit à l'embrasser encore plus passionnément. Avec fébrilité, Jenna laissa glisser ses mains de son torse jusqu'à son entrejambe. Lorsqu'elle toucha son sexe à travers son pantalon, elle sentit que l'excitation de Sam s'était encore accrue. Ainsi, lui aussi avait du mal à se contrôler en sa présence… C'était aussi bien : de cette façon, aucun d'eux n'avait l'avantage sur l'autre. Pourtant, elle devait s'assurer que tout était clair entre eux. Elle prit son souffle et le regarda droit dans les yeux.

— Tu as bien compris de quoi il s'agissait, n'est-ce pas ?

Il la regarda, surpris, les yeux écarquillés. Bien sûr, elle n'avait aucune intention de le faire souffrir, mais les mots devaient être prononcés. Impossible de le laisser croire quoi que ce soit d'autre.

— Du sexe, ma belle. Seulement du sexe. C'est cela que tu veux entendre ?

Il s'écarta d'elle et remit sa tenue en ordre, l'air énervé.

— Exactement. Ni amour, ni amitié. Une histoire de sexe, appelle cela comme tu voudras. Mais ce sera ça, et rien d'autre.

Elle le vit faire un pas en arrière et eut envie de pleurer, mais il fallait absolument qu'ils soient tous les deux sur la même longueur d'ondes. Sa grand-mère avait voulu qu'elle lise son journal, pour lui faire découvrir que ce genre de passion était possible. A présent, elle l'avait trouvée, ici, dans les bras de Sam, et elle voulait s'y abandonner, mais uniquement à certaines conditions : les siennes. Et il faudrait qu'il soit d'accord.

— Bon sang, Jenna, tu es douée pour rafraîchir l'ambiance.

Ils se sourirent.

— Mais bon, reprit-il, ça me va. Ça me facilite même les choses. Après tout, qui refuserait de coucher avec une belle fille comme toi, qui ne réclame aucune attache ? Je te le demande, dit-il froidement.

Ses mots étaient durs et elle savait que c'était uniquement un réflexe de défense, ce qu'elle comprenait et acceptait.

— C'est tout ce que je suis capable d'offrir, dit-elle.

— Tu sais quoi, ma belle, puisque tu as l'air de tout vouloir décider, pourquoi ne choisis-tu pas aussi le lieu et le moment ? Tu n'auras qu'à me siffler.

Elle réajusta sa robe et soudain, entendit des pas sur le gravier.

— Sam, c'est toi ?

Sam recula prestement d'un pas, ramassa son Stetson et le remit sur sa tête.

— Ouais. Qu'y a-t-il, Tooter ?

Jenna entendit la frustration dans sa voix.

— Je voulais juste te prévenir que la mise à bas a commencé. On dirait que Silver Shadow va nous offrir un beau poulain.

— Merci Tooter. Allons voir ça.

Il prit Jenna par le bras, et l'escorta, un peu rudement, vers la maison.

— Je pense que tu peux rentrer seule, à partir d'ici.

— Je le pense aussi.

Sam n'était pas du genre à rester au tapis bien longtemps. Et le sourire langoureux qu'il lui adressa signifiait bien que lui aussi, avait son mot à dire.

— Tout est clair entre nous, ma belle. Mais avant de poser ta ravissante tête sur l'oreiller, pourquoi ne réfléchirais-tu pas aux raisons qui te poussent à tout faire pour ne pas m'aimer ?

— Je ne fais rien de tel !

Il se mit à rire, et malgré elle, elle se rendit compte qu'elle avait encore envie de l'embrasser.

Ce qu'elle fit. Se haussant sur la pointe des pieds, elle l'attrapa par la nuque, l'attira vers elle et l'embrassa. Puis elle s'écarta de lui et le regarda droit dans les yeux, en passant sa langue sur ses lèvres.

— Hm, à présent, je sais que je vais passer une bonne nuit.

Elle se retourna, se dirigea vers la maison et sourit en entendant Sam étouffer un juron.

Elle pénétra dans le hall et, une fois arrivée dans sa chambre, s'approcha de la fenêtre afin de regarder Sam se diriger vers la grange avec Tooter. Elle soupira. Elle était complètement folle. Sam n'aurait pas dû l'accaparer autant. Sa priorité était le journal de sa grand-mère. Juste au moment où elle se disait qu'elle allait enfin avoir l'occasion d'explorer la maison, elle vit Sam quitter la grange et revenir vers celle-ci. Elle se réfugia dans l'ombre, remarquant au passage le coup d'œil qu'il avait lancé à sa fenêtre, tout en marchant. Dans sa chambre, elle se dirigea vers le lit, toujours habillée, et se sentit très seule. Elle allait s'allonger pour un petit moment et attendre que Sam ressorte pour aller chercher le carnet.

Un besoin soudain et désespéré de trouver le legs de son aïeule s'empara d'elle.

Sa grand-mère lui avait parlé de la passion et du temps qui passe. Pour elle, le temps commençait à s'enfuir dès qu'elle prenait son archer et le tendait sur les cordes de son violon.

Une musicienne de son niveau ne pouvait avoir à la fois une vie de famille heureuse et une carrière réussie. Sa propre famille en était une preuve manifeste.

Non, elle ne changerait rien à ses priorités. Surtout pas à cause de Sam.

Alors, pourquoi avait-elle déjà l'impression qu'elle était en train de se noyer ?

5.

Jenna s'éveilla d'un bond. Elle était toujours habillée. Néanmoins, elle avait tiré la couverture sur elle durant la nuit et au moins n'avait-elle pas attrapé froid. Elle regarda l'heure au réveil, sur la table de nuit, et s'aperçut qu'il était 4 heures du matin. Son horloge interne semblait décidément réglée sur l'heure de New York.

Elle s'endormit et s'éveilla de nouveau. Il était 6 heures. Rejetant les couvertures, elle se rappela qu'elle s'était endormie alors qu'elle devait juste attendre que Sam aille se coucher. Elle se jura qu'aujourd'hui, elle ne se laisserait pas distraire de son but. Mince ! Elle n'était pas plus avancée que le jour où elle était arrivée au ranch, et n'avait toujours aucune idée de l'endroit où Sam avait pu installer le bureau de sa grand-mère.

Elle s'étira et entreprit de faire glisser le zip de sa robe, qui, malheureusement, resta coincé. Elle eut beau s'y essayer plusieurs fois, rien n'y fit.

Espérant que Maria passerait par là, elle se dirigea vers la porte, traversa le couloir et aperçut Sam qui sortait de sa chambre. Lorsqu'il la vit, il fronça les sourcils. Mortifiée, elle ferma les yeux un instant.

— Jenna ?
— Pourrais-tu… ?

Ses paroles moururent sur ses lèvres.

— Pourrais-je... quoi ? demanda-t-il en s'approchant, l'air intrigué.

Elle se tourna et ferma les yeux. Même à travers ses vêtements, elle pouvait sentir la chaleur de sa peau. Inspirant légèrement, elle perçut son parfum musqué. Elle ressentait son désir, comme s'il était le sien. Et elle avait envie de lui, comme cela ne lui était jamais arrivé auparavant, avec aucun homme. Tout ce qu'elle voulait, c'était se fondre en lui et voir où cela les mènerait. Mais elle ne pouvait pas, non. Surtout pas maintenant. Elle avait besoin d'être seule, afin d'explorer la maison. Si elle l'entraînait dans sa chambre, qui savait combien de temps ils passeraient ensemble. En ce qui la concernait, elle aurait volontiers passé la journée entière avec lui, au lit.

Elle entendit son souffle chaud contre son oreille.

— Qu'est-ce que tu veux, Jenna ? Dis-le-moi, chuchota-t-il.

— Pourrais-tu m'aider à détacher cette robe ? demanda-t-elle d'une voix rauque. Je me suis endormie tout habillée et à présent la fermeture Eclair est coincée.

— Bien sûr. C'est tout ce que tu veux ?

Il prit la tirette de la fermeture entre ses doigts et commença à la faire glisser doucement, écartant le tissu. Ses doigts effleurèrent sa peau. Elle frissonna et sentit la chaleur de son corps contre son dos, comme la caresse d'une flamme. Il descendit le zip jusqu'en bas, tout en laissant courir ses doigts contre sa peau. Ses mains étaient faites pour caresser le corps d'une femme, songea-t-elle.

— Oui, c'est tout ce dont j'ai besoin... pour l'instant, répondit-elle.

Un désir pressant s'insinua en elle. Sam se pressa tout contre ses fesses et elle sentit son sexe dur dans le creux de ses reins.

Il prit ses longs cheveux dans une main et les fit tomber de côté, révélant sa nuque, puis elle sentit la chaleur de ses lèvres dans son cou et des vagues de feu se propagèrent en elle. Tout était parfait. Elle le voulait, le désirait tant. Ses lèvres glissèrent jusqu'à son épaule et embrassèrent sa peau nue.

Il glissa une main sur sa taille et elle enlaça ses doigts.

— Je ne t'ai pas dit, hier soir, à quel point tu avais magnifiquement joué.

— Merci, dit-elle en dénouant ses doigts.

Sam retira sa main, puis se mit à lui caresser les cheveux.

— Est-ce que… tu pars travailler aux écuries ? demanda-t-elle.

— Oui, je dois ranger le grenier à foin, et j'en ai pour un bon moment. Cet après-midi j'ai rendez-vous avec le comité de soutien de l'hôpital.

Il s'interrompit un instant, semblant peser ses mots.

— Aimerais-tu m'accompagner ?

Le ton séducteur de sa voix lui donnait envie d'acquiescer à tout ce qu'il disait. Elle inspira profondément, tandis que la joie s'insinuait en elle. Son absence lui laisserait suffisamment de temps pour ses recherches.

— Eh bien, on dirait que tu vas être occupé toute la journée. J'ai bien peur qu'il en soit de même pour moi. J'ai rendez-vous à 13 heures avec l'académie de musique et une répétition à 15 heures. Et puis, il faut que je m'exerce.

Elle regarda ses mains, cherchant désespérément à en faire quelque chose, avant de les caresser.

Puis, sans même s'excuser, elle s'enfuit. La façon dont elle s'éloignait de lui était incompréhensible. Elle lui jeta un dernier coup d'œil et ferma sa porte.

Etait-ce parce qu'elle avait réellement besoin de cette matinée pour se mettre en chasse ou bien parce que Sam la troublait profondément, plus qu'aucun homme n'en avait jamais été capable ? En sa présence, elle perdait tout contrôle d'elle-même, et son cœur battait la chamade.

A moins que ce ne fût la raison, qui l'avait fait s'éloigner de lui.

Non, certainement pas. Une femme à l'esprit pragmatique aurait su se retirer de façon plus élégante.

Mais les lâches, eux, savent quand il faut courir et battre en retraite, et c'était ainsi qu'elle venait de se conduire. Elle retira sa robe et ses bas et se réfugia dans la salle de bains, avant de céder à une impulsion insensée, telle qu'ouvrir sa porte, attraper Sam par le cou et l'entraîner sur son lit pour assouvir leur désir.

Elle se glissa sous le jet de la douche et l'eau chaude commença à la relaxer. Elle était déterminée à découvrir le bureau dès ce matin et à y récupérer le fameux carnet. Ensuite, elle pourrait se rendre à ses rendez-vous de l'après-midi, satisfaite d'avoir accompli les derniers vœux de sa grand-mère.

Soudain, elle se sentit coupable. Elle avait à peine pensé à son aïeule, ces dernières vingt-quatre heures. D'aussi loin qu'elle se souvienne, sa grand-mère avait toujours été à ses côtés, et l'avait toujours soutenue, dans tout ce qu'elle avait entrepris. Tandis que sa propre mère, ne faisait qu'apparaître et disparaître dans sa vie. Jamais elle n'avait pu se débarrasser de la déception qu'elle lui avait causée. Cela n'avait pas été évident, pour une petite fille de cinq ans, de comprendre un comportement aussi égoïste, mais depuis lors elle s'était fait à cette idée, et avait compris que l'amour et la passion de la musique ne faisaient pas bon ménage. L'un des deux devait s'effacer devant l'autre. Il en avait été de même pour sa grand-mère, qui avait renoncé à sa carrière pour l'amour de son époux. Elle les aimait tellement tous les deux, son grand-père et elle, qu'elle remerciait chaque jour sa grand-mère d'avoir fait ce sacrifice et de lui avoir offert un foyer si chaleureux.

Pour sa part, elle n'avait aucune intention de laisser ses sentiments interférer dans sa carrière, qui était à son apogée. Jenna comptait bien rester au sommet aussi longtemps que possible. La musique était un univers sûr, sécurisant, qu'elle comprenait bien mieux que ces sensations étourdissantes qui lui faisaient perdre tout contrôle sur elle-même.

Lorsqu'elle ouvrit la porte de sa chambre, pour la seconde fois de la matinée, tout était calme dans la maison. Sam travaillait dans la grange, et il était encore tôt. Elle jeta un coup d'œil devant la porte de sa chambre, se demandant si le bureau pouvait s'y trouver. Inspirant profondément, elle traversa le couloir et tourna la poignée. La porte s'ouvrit sans un bruit.

A pas de loup, elle entra dans la pièce. Ses yeux se posèrent sur les meubles de cèdre massif, puis sur le grand lit recouvert d'un édredon aux couleurs vives, la table de nuit et la commode. Un confortable fauteuil était installé près de la fenêtre, de laquelle on pouvait observer les pâturages dans lesquels on menait paître les bêtes.

Aucune trace de bureau. Pourtant, elle ne pouvait se résoudre à sortir.

Jenna marcha jusqu'à la commode et regarda ce qui s'y trouvait posé   une vieille montre d'homme, un badge en forme d'étoile et quelques pièces de monnaie. La montre en argent retint son attention. Elle s'en saisit ; elle avait vu suffisamment d'antiquités dans sa vie, pour savoir qu'il s'agissait d'une montre ancienne de valeur. Soulevant la chaîne, elle poussa le remontoir et la plaque avant s'ouvrit, révélant un message gravé.

« A mon mari bien-aimé, Silas, avec tout mon amour.
Savannah. »

L'inscription, si personnelle, lui rappela qu'elle était en train de fouiller dans l'intimité de Sam. Honteuse de ce qu'elle était en train de faire, mais incapable de s'arrêter, elle referma délicatement la montre.

Ensuite, elle prit l'étoile, qu'elle reconnut aussitôt comme un insigne de l'équipe des Rangers. En l'approchant tout près de ses yeux, elle y vit l'inscription de la compagnie d'élite à laquelle Sam avait appartenu. Eh bien, tous deux avaient un riche héritage, lui avec ses ancêtres et son appartenance au Rangers, et elle avec le scandaleux carnet de sa grand-mère, sur lequel elle devait mettre la main.

Peut-être un homme tel que Sam comprendrait-il si elle se contentait de lui expliquer quelle importance les écrits de sa grand-mère avaient pour elle. Sauf qu'elle comptait toujours sur la possibilité qu'un juge reconnaisse l'illégalité de la vente et demande la restitution de tous les meubles ainsi que des objets qu'ils contenaient. Mais pouvait-elle prendre un tel risque ?

Elle s'approcha du lit et imagina le corps de Sam allongé, au milieu des draps et des oreillers. A cette idée, son pouls s'accéléra. Elle caressa d'une main le portemanteau qui se trouvait dans un coin. Il était sculpté dans des cornes de bétail, et diverses ceintures et écharpes, ainsi que la chemise blanche qu'il portait la veille au concert y étaient accrochées. Elle s'approcha et porta le vêtement à son nez. Elle avait l'habitude des eaux de toilette coûteuses, mais Sam n'en portait pas. Il n'avait besoin d'aucun parfum artificiel. Inspirant profondément, elle huma la chemise, respirant l'odeur naturelle de Sam.

Elle ferma les yeux et se délecta de la senteur, qui ne ressemblait à aucune autre et embaumait le cuir, le vent et le savon.

La porte d'entrée claqua et elle entendit des pas traverser le hall et grimper les escaliers. Prestement, elle raccrocha la chemise et se dirigea vers la porte. Elle était juste sur le seuil, lorsque Maria arriva en haut des marches.

Jenna fit un pas en avant. Honteuse, elle avait du mal à croire qu'elle avait ainsi fouillé dans les effets personnels de Sam et le rouge lui monta aux joues.

— Si vous cherchez Sam, dit Maria, il est dans la grange, je l'ai aperçu lorsque j'ai déposé Caleb il y a environ vingt minutes. Je suis très en retard sur mon planning, à cause de ce Tooter qui n'arrête pas de jacasser. Pourriez-vous dire à Sam que le petit déjeuner sera servi dans un instant ?

Jenna sourit, essayant de calmer les battements de son cœur.

— Oui, bien sûr, Maria. Merci.

Elle se dirigea vers l'escalier, tandis que Maria pénétrait dans la chambre de Sam. Elle la vit prendre le linge sale pour le laver et soupira. Apparemment, Maria ne s'interrogeait pas sur la raison de sa présence dans l'antre de Sam, et ne songeait qu'à son travail.

A mi-chemin de la grange, Jenna commença à se sentir nerveuse ; elle avait l'impression d'avoir dévoilé l'âme de Sam. La montre et l'étoile de Ranger révélaient déjà tant de choses sur lui qu'elle avait envie d'en savoir encore bien davantage.

— Sam ? Tu es là ?

Au-dessus d'elle, le parquet grinça et un peu de paille et de poussière tombèrent à ses pieds.

Lorsqu'il apparut, il était nu jusqu'à la taille, un bandana bleu noué seul autour de son cou. Ses cheveux sombres n'étaient pas attachés et descendaient dans son cou, moites de sueur.

Il avait son Stetson noir sur la tête (certainement pour empêcher ses cheveux de lui tomber sur le visage), et l'avant était tellement enfoncé que ses yeux demeuraient dans l'ombre.

Tout ce qu'elle voyait, c'était ses joues et son menton, ce qui mettait encore plus en valeur le dessin de ses lèvres. Quant à ses mains, elles étaient protégées par d'épais gants de cuir.

Les mots ne parvenaient pas à sortir de sa bouche. Elle était troublée par l'allure de Sam et ne parvenait qu'à le regarder fixement. Elle suivit le mouvement des gouttes de transpiration qui roulaient sur son torse, glissaient de son ventre musclé jusqu'à la ceinture de son jean. Elle se lécha les lèvres, sentant presque le goût salé de son corps sous sa langue.

Il s'approcha d'elle.

— Eh bien ? Que se passe-t-il ? Tu as perdu ta langue ?

Elle regarda son jean qui le moulait de façon si étroite, et se souvint de la puissance de ses cuisses, lorsqu'il s'était serré contre elle, la nuit précédente.

— Non, j'ai juste un peu de poussière dans l'œil, répondit-elle d'une voix rauque.

Elle ne pouvait le quitter des yeux ; les muscles de sa poitrine l'hypnotisaient.

Il hésita. Les yeux sombres de Jenna semblaient briller dans la semi-obscurité de la grange.

Il posa ses mains sur le plancher du grenier. D'un bond, il se laissa habilement choir sur le foin entassé à côté de Jenna et se remit rapidement sur pied.

Il s'approcha d'elle, et comme la veille, elle eut l'impression de sentir la chaleur irradier de son corps, mêlée à son odeur musquée.

Il retira ses gants et s'approcha tout près.

— Laisse-moi regarder cette poussière.

Rangeant ses gants dans la poche arrière de son jean, il se tint tout contre elle. Instinctivement, cherchant son équilibre, elle posa les mains sur son torse, et sentit son pouls s'accélérer lorsqu'il plongea son regard dans le sien. Il posa les mains sur son visage et elle se sentit tressaillir.

— Du calme, murmura-t-il d'une voix basse et rauque, dont il usait certainement pour calmer les chevaux.

Ses mains étaient rugueuses et abîmées par les travaux du ranch. Comment pouvaient-elles en même temps être si douces ?

Jenna s'abandonna à la caresse de sa main, à la chaleur de son souffle sur son front qui faisait voleter les petits cheveux autour de son visage.

Sam fronça les sourcils.

— Tout m'a l'air normal. Est-ce que par hasard tu me raconterais des histoires ?

Elle déglutit, essayant de trouver rapidement une excuse, sachant que cela lui serait impossible, alors qu'il se tenait si près d'elle et la troublait tant.

— D'accord, je l'avoue, j'ai menti. En fait, j'étais un peu troublée par ta… tenue. On ne voit pas souvent des hommes se balader ainsi, aussi peu vêtus, à New York.

— Ma tenue ? Oh… je vois. Aurais-je par hasard heurté ta sensibilité ?

— Non.

— Donc ça ne te dérange pas ?

— Non.

— Si, ça te perturbe.

— Non, pas vraiment… je… Sam, tu me troubles.

Elle ferma les yeux un instant, essayant de se reprendre. Sam sourit.

— Tu préfères peut-être que je mette une chemise ?

— Non… enfin, si.

Il se colla contre elle.

— Alors, que veux-tu dire ? C'est oui, ou non ?

— Tu m'énerves ! Ton corps ne me trouble pas plus que ça, sache-le ! En fait, je suis venue ici parce que j'ai pensé que tu avais peut-être faim et pour te dire que Maria était sur le point de servir le petit déjeuner.

— Hm, ce n'est pas cette faim-là qui me dévore, Jenna, mais plutôt celle qui s'empare de moi, chaque fois que tu me regardes, comme tu es en train de le faire !

Soudain, elle se sentit prise au piège.

— Sam, à quoi joues-tu ?

Ses mots moururent sur ses lèvres, alors que Sam la prenait par la taille et la tenait serrée tout contre lui.

— Chérie, je ne joue pas.

Sa bouche se posa sur la sienne et elle sentit l'urgence de son désir.

Ses lèvres étaient chaudes et douces comme du velours et elle gémit de plaisir en les sentant se poser sur les siennes. En cet instant, peu lui importaient ses doutes et les conséquences de leurs gestes.

Elle glissa ses bras autour de son cou, jetant au passage son Stetson par terre. Ses mains se posèrent sur sa nuque et elle caressa ses cheveux, doux comme de la soie.

Sam gémit et l'embrassa plus profondément, sa langue fouillant sa bouche comme une flamme brûlante.

Puis, soudain, il s'écarta d'elle. Il ferma les yeux et elle lut sur son visage, l'effort qu'il faisait pour ne pas se laisser aller aux pulsions de son corps.

Elle lui caressa le visage. Il ouvrit les yeux et la vulnérabilité qu'elle découvrit en lui la toucha. Cette facette de sa personnalité l'effrayait presque. Elle se sentait nettement plus à l'aise lorsqu'il exerçait sur elle son charme de cow-boy macho.

Cette partie de lui, si sensible, qui s'offrait à elle, lui faisait peur et en même temps l'excitait, elle devait bien le reconnaître.

Pendant une longue minute, il l'observa. Puis il leva doucement la main vers elle, et de son pouce, caressa ses lèvres. Jenna gémit et se sentit défaillir tandis qu'il continuait cette caresse si intime.

— Tu l'as déjà fait dans le foin ? chuchota-t-il.

Prenant son visage entre ses mains, il commença à l'embrasser doucement, caressant ses lèvres des siennes. Des frissons la parcoururent, lorsqu'elle sentit sa langue s'immiscer en elle.

— Maintenant, chérie ? Si nous le faisions maintenant ?

Elle n'eut pas le temps de lui répondre. Déjà, il l'embrassait de nouveau, caressait ses cheveux. Elle lisait le désir dans ses yeux.

Soudain, son baiser se fit plus exigeant, plus profond et elle sentit des vagues de chaleur monter en elle. Jamais elle n'avait connu un feu aussi brûlant. Toute résistance l'abandonna, et elle se cambra contre lui, appelant ses caresses de tout son corps.

Lorsqu'elle sentit ses mains se poser sur ses seins, elle sut qu'elle était en train de vivre ce dont sa grand-mère parlait dans son journal intime.

La passion.

Alors elle comprit que si elle ne s'y abandonnait pas, elle prenait le risque de ne jamais la connaître.

Sam la serra un peu plus contre lui, et leurs regards se croisèrent, éperdus.

— Sam ?

La voix de Tooter résonna dans la grange.

— Bon sang, murmura Sam sans répondre à son contremaître. J'ai bien peur que nous devions remettre nos petits jeux dans le foin à plus tard.

Il s'écarta d'elle, prit ses gants dans sa poche et les enfila, profitant de ce bref moment pour reprendre contenance. Jenna essaya d'en faire de même, mais tout ce dont elle avait envie était de poser de nouveau ses mains sur lui, et de poursuivre leurs caresses.

— Rentre à la maison, lui dit-il. Je serai là bientôt. Dis à Maria qu'elle pourra servir dans environ une demi-heure. Tu pourras tenir jusque-là ?

— Pour le petit déjeuner, peut-être, pour le reste, je ne sais pas, répondit-elle en passant devant lui.

Lorsqu'elle aperçut Tooter, elle lui sourit, mais le vieil homme se contenta de lui jeter un coup d'œil. Elle s'arrêta et le regarda, intriguée. Et soudain : elle comprit. Tooter avait fait exprès de les interrompre. Elle se demanda ce qu'il avait contre elle. Lorsqu'elle aurait un moment, elle en parlerait à Sam. Elle était habituée à entretenir de bonnes relations avec son entourage, de même qu'avec son public et cela l'ennuyait qu'il n'en soit pas de même avec le vieil homme.

— Sam ?

— Je suis là, Tooter.

Lorsque son contremaître s'approcha de lui, Sam avait repris toute son assurance.

Que se passe-t-il ?

Le gars qui livre la nourriture du bétail est là.

— Tooter, pourquoi est-ce que tu viens me parler de ça ?

— Je pensais que tu aimerais être au courant.

Sam le regarda droit dans les yeux, l'air furieux.

— C'est curieux, parce que depuis que tu as commencé à travailler au ranch, ce qui remonte à quoi, oh, disons, *seulement une bonne vingtaine d'années,* tu t'es toujours occupé de l'alimentation des animaux sans même m'en toucher un mot !

Tooter rougit et contempla le bout de ses chaussures, avant de relever les yeux sur lui, l'air frustré. Il semblait avoir un énorme poids sur la poitrine.

— Est-ce que tout ceci n'aurait pas plutôt pour but de nous séparer, Mlle Sinclair et moi ?

Tooter se renfrogna.

— Elle n'est pas faite pour toi, Sam. Tu te laisses complètement mener par tes hormones. Elle est exactement comme ton ex-femme.

Sam se sentit bouillir intérieurement, sachant que Tooter n'avait pas entièrement tort. Jenna avait de nombreux points communs avec Tiffany, mais en cet instant, il n'en avait cure. Il avait envie d'elle.

— Ce que je fais ou ne fais pas avec Mlle Sinclair ne regarde que moi. Je n'ai pas besoin que tu te mêles de ça, Tooter. Contente-toi de faire le boulot pour lequel je te paie !

Sa rage diminua aussitôt en découvrant la peine sur le visage du vieil homme. Il se pencha et ramassa son chapeau par terre, passa vivement sa main dans ses cheveux et remit son Stetson sur sa tête.

— Ecoute, je suis désolé de t'avoir parlé ainsi, c'était injuste. Néanmoins, ce que j'essaie de te dire c'est que je suis adulte et que je sais pertinemment ce que je suis en train de faire.

— Vraiment ? Je n'en suis pas si sûr. J'ai bien vu la façon dont tu la regardais, hier, lorsque je suis venu te parler de Silver Shadow. Je ne suis peut-être plus très jeune, mais je ne suis pas aveugle.

— N'essaie pas de me dire comment mener ma vie, Tooter. J'apprécie ton opinion et je la respecte, mais pas dans ce domaine.

Tooter lui opposa un sourire moqueur.

— Tu brûles de désir pour elle, mais elle, tout ce qu'elle fera, c'est te briser le cœur.

— Tout ceci n'est que temporaire, et s'arrêtera dès qu'elle quittera le ranch.

— Ce qui ne sera jamais assez tôt, en ce qui me concerne. Dès que je l'ai vue, j'ai su qu'elle allait t'attirer des problèmes.

Tooter se retourna et quitta la grange, grommelant à propos de la stupidité des hommes et de leur libido. Et Sam se disait qu'il n'avait peut-être pas tort.

Il frappa du poing dans sa main et regagna rapidement l'étage du grenier. Il pouvait encore sentir la main de Jenna caresser son visage, et se remémorer la façon dont elle l'avait regardé. Ses doigts étaient longs et gracieux, faits pour jouer de la musique et tirer de sublimes notes d'un instrument précieux. Mais lui avait envie de goûter à ces doigts, de jouer avec eux. Il voulait les sentir sur sa peau. Il voulait vibrer à l'unisson avec Jenna, si fort qu'il en oublierait tout. Qui il était, et qui *elle* était.

Même s'il le savait parfaitement.

90

Tooter avait raison. Jenna n'appartenait pas à son monde. Elle appartenait à New York, une ville où les hommes gardaient leurs vêtements en public. Une ville où les magnifiques gratte-ciels se découpaient sur un horizon sublime et où les voitures n'avançaient pas. Un endroit où la sophistication et l'élégance faisaient partie du quotidien. Pas un endroit où l'on trouvait en permanence de la poussière, de la boue, du foin et de la sueur.

Plus tard, Tooter pourrait dire qu'il l'avait bien prévenu.

Mais seulement, *bien plus tard* !

6.

Perturbé par son altercation avec Tooter, Sam se rendit à la salle de bains pour se laver les mains.

Il avait beaucoup de respect pour son contremaître. Tooter était la seule personne au monde qui savait que son père avait sombré dans l'alcoolisme, et il l'avait couvert chaque fois que cela avait été nécessaire, lorsque le vieil homme faisait la noce. Il s'occupait de tout au ranch, jusqu'à ce que le père de Sam ait cuvé son vin... et jusqu'à la fois suivante.

Sam n'avait jamais blâmé son père de s'être ainsi laissé aller à boire. Il savait qu'il avait énormément souffert de la perte de son premier fils, mort-né, ainsi que du décès de sa femme, morte en donnant naissance à son second fils.

Malgré sa compassion, il ne s'en était pas senti moins seul. Heureusement, Tooter avait fait beaucoup pour lui et l'avait aidé à sortir de son isolement. Il l'avait pris sous son aile et lui avait enseigné tout ce qu'il y avait à savoir pour diriger un ranch tel que le Wildcatter.

Aussi la déception de Sam était-elle vive : il aurait préféré que Tooter s'abstienne de préciser qu'il n'appréciait pas sa relation avec Jenna.

Cependant, il n'allait pas y mettre un terme pour autant. Autant dire les choses clairement : il avait envie de coucher avec elle et était bien déterminé à la mettre dans son lit.

Il se dirigeait vers la salle à manger, mais il aperçut Jenna en passant devant la salle de jeu.

Il s'arrêta et entra dans la pièce. Jenna regardait tout autour d'elle, comme si elle cherchait quelque chose. Quelque chose d'important, à en juger par l'expression de son visage dont il voyait le reflet dans la vitre.

Elle lui tournait le dos et portait un caleçon noir ainsi qu'un court T-shirt vert qui lui descendait à peine jusqu'au nombril. Lorsqu'elle bougea, il aperçut la peau si lisse de son ventre. Le caleçon noir lui moulait parfaitement les fesses, lui donnant envie de les caresser. Quant à la natte de cheveux qui lui descendait dans le dos, elle lui rappela à quel point il avait trouvé sa peau douce, lorsqu'il l'avait caressée le matin même, en l'aidant à descendre la fermeture Eclair de sa robe. Et combien elle avait frissonné sous ses doigts.

— Que fais-tu ici ? Ne me dis pas que tu as envie de jouer au billard ?

Il avait eu l'intention de plaisanter, mais elle sursauta et se tourna vers lui pour lui faire face. Elle pâlit et le regarda avec une expression tellement coupable dans le regard, qu'aussitôt son instinct de Ranger en fut alerté.

— Je me suis perdue, bafouilla-t-elle, avant de se mettre à rire nerveusement. Je suis allée à la salle de bains et j'ai dû prendre le mauvais chemin pour retourner à la salle à manger.

Sam l'observa et fronça les sourcils. Bon sang, il devenait paranoïaque ! D'après la rougeur de ses joues, le fait de s'être perdue avait plutôt l'air de l'embarrasser. Bien sûr, la maison était grande et elle n'en était pas encore familière...

Il la prit par le bras.

— La salle à manger est de ce côté.

Elle l'accompagna et ils traversèrent le hall puis entrèrent dans la salle à manger. Galamment, il tira une chaise pour lui permettre de s'asseoir.

Il prit place également et Maria entra dans la pièce avec deux assiettes qu'elle posa devant eux.

— Il faut que j'aille faire des courses, Sam, déclara Maria. Je serai de retour dans environ une heure.

— Pour ma part, j'ai des rendez-vous en ville, dit Sam, donc je ne serai pas ici. Est-ce que cela vous dérangerait de conduire Mlle Sinclair à l'académie de musique à ma place ? Un des employés passera la prendre lorsqu'elle aura terminé.

— Bien sûr, Sam.

— Merci Maria.

Maria quitta la pièce. Un pichet de jus d'orange et un pot de café se trouvaient sur la table.

— Du café ? proposa-t-il.

Jenna hocha la tête.

— Merci, dit-elle tandis qu'il remplissait sa tasse.

Le téléphone portable de Sam sonna et il répondit.

— Winchester. Oui, Tooter. Combien ? D'accord, je passerai au magasin en rentrant et passerai commande.

Il termina sa communication et reprit la cafetière.

Jenna se demanda si Tooter avait de bonnes raisons de déranger Sam ou de l'interrompre lorsqu'il se trouvait avec elle. Elle ne parvenait pas à oublier le regard qu'il lui avait jeté, lorsqu'ils s'étaient croisés dans la grange.

— Pourquoi Tooter est-il fâché contre moi ?

Sam tressaillit et renversa un peu de café sur la nappe. Aussitôt, il s'empara d'une serviette en papier pour l'éponger.

— Il a… disons, un sacré caractère.

Il la regarda repousser sa natte derrière son épaule.

— Ça ne semblait pas le cas, jusqu'à ce qu'il nous surprenne ensemble, la nuit dernière.

— Eh bien, pour tout dire, il pense que tu as de nombreux traits de caractère en commun avec mon ex-femme et qu'entamer une liaison avec toi est une mauvaise idée. Voilà.

Tooter n'avait sans doute pas tort, songea-t-il, mais quel mal y avait-il à s'offrir quelques jours de pur plaisir, jusqu'au départ de Jenna ?

Puisqu'ils étaient d'accord tous les deux…

— C'est vrai ?

— Quoi ?

Regardant le plateau devant elle, elle y choisit le pot de confiture à la fraise, en prit une cuillérée et l'étendit sur son toast.

— Que je ressemble à ton ex-femme, Tiffany, c'est ça ?

— Oui, elle s'appelle Tiffany.

Il mangea quelques bouchées de ses œufs.

— Alors, je lui ressemble ?

— Sous certains angles.

Elle lui lança un regard étonné.

— Lesquels ?

— Tiffany adorait voyager et s'en servait comme d'une excuse pour quitter le ranch le plus souvent possible et s'éloigner de moi, dès qu'elle le pouvait.

Soudain, en la regardant, il fut distrait par la pointe de sa langue qui léchait de la confiture aux commissures de

96

ses lèvres. Bon sang, il n'en pouvait plus d'avoir autant envie d'elle. Tout à coup, il s'aperçut qu'elle attendait qu'il poursuive.

— Elle était très attirée par la vie dans un ranch, à l'époque où je l'ai rencontrée, à un bal après une vente de bétail à Dallas. Elle venait de Boston et je crois qu'elle pensait que la vie de cow-boy avait quelque chose de glamour.

Jenna termina ses œufs, mais laissa le reste du plat.

— Jusqu'à ce qu'elle vienne vivre au ranch ?

— Exactement. Elle détestait vivre ici et trouvait toutes les excuses possibles et imaginables pour s'échapper. Jusqu'au jour où elle n'est plus revenue.

Il continua à manger jusqu'à ce qu'il se rende compte que le temps filait et qu'il devait absolument aller prendre une douche avant de poursuivre ses activités.

— Je suis désolée, Sam.

Il haussa les épaules.

— Bah, c'est le passé.

Et c'était vrai. Cela faisait déjà un bon moment qu'il ne pensait plus à Tiffany et ne se faisait plus aucun souci pour elle. Elle ne l'avait jamais vraiment aimé, et il s'était souvent demandé si ce n'était pas ce qu'il représentait, l'image qu'elle avait de lui, plus que sa véritable personnalité, qui les avait conduits tous deux au mariage.

— Au moins t'es-tu marié. Moi, je ne me suis même jamais sérieusement fiancée. Comment pourrais-je dire sérieusement à un homme que oui, j'ai envie de le revoir... lorsque je serai rentrée de voyage, ce qui en général dure plusieurs mois ?

Il était certain qu'elle n'avait aucune envie de lui avouer sa solitude. Pourtant elle était là, cette solitude, étalée sous ses yeux ; elle se lisait dans son regard et transparaissait dans ses paroles.

Soudain, il sentit son cœur se serrer pour elle.

— Ouais, je suppose que ton métier met un frein aux relations.

— Remarque, ça laisse le temps de réfléchir au degré d'implication souhaité, dit-elle en plaisantant.

Sam sourit, mais son cœur le rongeait.

Elle le regarda et il vit de la chaleur et de l'amusement dans ses yeux. Sa douceur lui fit penser qu'il n'avait jamais partagé de tels moments avec son ex-femme. Il avait envie de toucher Jenna, de la faire haleter, crier. Il voulait qu'elle oublie sa solitude et se livre entièrement à lui.

— Eh bien ! A présent, je comprends pourquoi tu avais l'air si déstabilisé lors de notre première rencontre. Tu pensais que j'allais venir au ranch et être déçue en découvrant que la vie ici n'avait rien de *glamour*. Tu ne voulais pas m'avoir dans les pattes. C'est pour cela que tu es venu me tirer du lit à l'aube, alors qu'il pleuvait, pour m'emmener travailler avec toi aux écuries. Tu voulais me donner un aperçu de ton quotidien, en espérant que je m'enfuirais en courant.

— Je plaide coupable.

— Tu ne t'attendais pas à ce que cela me plaise.

— C'est le cas ?

— Oui. La pluie rafraîchit tout et j'ai découvert que j'aimais l'odeur du foin et des chevaux.

— C'était un peu sournois de ma part, mais...

— Tu as adoré me faire cela !

Il se mit à rire.

— C'est vrai. Jusqu'à ce que tu prennes l'avantage en m'apprenant que tu te levais tous les jours d'aussi bonne heure.

Comment pouvait-elle le troubler autant ? Ce n'était pas simplement son parfum, qu'il aimait tant, ni ses superbes courbes, qui affolaient ses sens. Non, c'était elle-même, sa nature profonde, qui le troublait et le déstabilisait comme il ne l'avait encore jamais été.

Ils restèrent un moment ainsi, en silence. Puis Jenna se mit à débarrasser la table.

— Tu n'as pas besoin de faire cela, Maria s'en chargera à son retour.

— Ne sois pas stupide, il ne s'agit que de quelques assiettes. Tout apporter dans la cuisine ne prendra qu'une seconde.

Elle saisit le pichet de jus d'orange et quitta la pièce. Sam avala encore quelques bouchées et emporta lui aussi son assiette dans la cuisine.

Il arriva juste à temps pour voir Jenna ouvrir le frigo afin d'y déposer le pichet de jus d'orange. Lorsque la porte s'ouvrit, le pot de moutarde glissa de l'étagère intérieure et tomba par terre. Elle se pencha pour ramasser les dégâts, et les sens de Sam s'embrasèrent.

Son tee-shirt glissa, révélant une bonne partie de son anatomie, et il sentit son sexe se durcir aussitôt.

Elle avait envie de lui, il en était sûr. Les signaux qu'elle lui envoyait étaient assez éloquents. Néanmoins, elle semblait avoir encore quelques doutes et il voulait qu'elle comprenne qu'ils agiraient selon ses conditions à elle. Il devinait, inconsciemment, que c'était important pour elle.

Comme il était important pour lui de la tenir serrée contre lui, de se délecter d'elle, de la faire sienne. Pour ça, il était prêt à accepter tout ce qu'elle souhaiterait.

Elle se redressa, remit le pot de moutarde en place et ferma la porte. Dieu qu'il avait envie d'elle ! Il brûlait de désir, mais ne voulait rien entreprendre tout de suite. Pas ici, dans la cuisine, d'autant plus qu'il avait de nombreuses choses à faire, comme elle.

Oui, de nombreuses tâches l'attendaient, mais il ne pouvait se résoudre à la quitter. Apparemment, ses mains fines de musicienne savaient faire autre chose que jouer d'un instrument.

— Tu n'as pas de gouvernante ? demanda-t-il.

— Non. Je n'en ai pas besoin. Je vis dans un appartement, en plein centre-ville. J'ai une personne qui vient pour le ménage, mais c'est tout.

— Hé bien, je crois que je me fais un peu plus dorloter que toi. C'est drôle, j'imaginais que tu avais forcément des domestiques.

— Eh bien, disons que tu avais des a-priori sur moi. Mais je te pardonne.

Pour toute réponse, il glissa ses mains sur sa poitrine pendant qu'elle finissait d'empiler la vaisselle, et il la sentit tressaillir.

Elle se tourna vers lui.

— Sam !

— Je sais. Nous avons tous les deux beaucoup à faire, aujourd'hui, et j'ai dit que j'attendrais jusqu'à ce que tu sois prête, mais je ne peux pas m'empêcher d'avoir envie de te toucher.

— Comment pourrais-je t'en vouloir, alors que je ressens les mêmes choses ? soupira-t-elle.

100

Elle glissa ses bras autour de son cou, et durant un instant, ils restèrent ainsi enlacés.

Serrée contre lui, elle sentait son corps frissonner de plaisir et se maudit. Zut ! Elle devait garder l'esprit clair et ne pas se comporter comme une collégienne amoureuse dès qu'elle se trouvait en sa présence.

Tout serait certainement plus facile si elle lui demandait directement où se trouvait le bureau de sa grand-mère, afin de pouvoir l'explorer plus tard.

— Pourquoi ne me ferais-tu pas visiter la maison, avant ton départ, afin que je ne me perde pas de nouveau ?

— Volontiers.

Il écarta les bras et ils quittèrent la cuisine, traversant de nouveau la salle à manger, puis le couloir jusqu'à sa salle de musculation. Tout en marchant, Sam lui indiquait les différentes salles de bains, puis la salle de billard, qu'elle avait déjà vue.

Il l'entraîna à l'arrière de la maison et s'arrêta devant une double porte.

— Ici, c'est mon bureau. Je suis en train d'en refaire la décoration, alors, désolé pour la pagaille.

Jenna pénétra dans la pièce et remarqua le désordre qui régnait en effet dans la pièce, mais soudain, les paroles de Sam se fondirent en un sourd murmure à ses oreilles. Là, devant elle, tout contre le mur, à moitié recouvert d'un grand drap blanc, se dressait le magnifique bureau d'acajou de sa grand-mère. Quel n'était pas son soulagement de l'avoir enfin trouvé ! Cela lui fit battre le cœur de plus belle.

— J'aurais dû te prévenir que l'entrepreneur va venir régulièrement pour terminer les travaux.

Elle entendait à peine ce qu'il lui disait. Tout ce qu'elle voulait, c'était explorer le meuble et retrouver le journal intime de son aïeule.

— Jenna ? Ça va ?

Elle tourna la tête vers lui.

— Oui, j'étais juste en train d'admirer ton superbe bureau. Enfin, tout du moins, ce que j'en vois.

Sam avança jusqu'au meuble et retira le drap.

— N'est-il pas magnifique ? Cela faisait plus d'un an que j'en cherchais un semblable.

— On dirait une véritable antiquité. D'où vient-il ?

— Je l'ai acheté dans une vente aux enchères, lorsque j'étais à New York, il y a quelques semaines. Il a été réalisé en 1880 et a appartenu à une célèbre chanteuse d'opéra. Je me demande où elle l'avait acquis.

Jenna connaissait la réponse. Elle savait exactement où sa grand-mère avait acheté son bureau. Ses grands-parents se trouvaient à Houston, chez un antiquaire, lorsque Susanna avait vu l'annonce d'une vente de domaine dans le journal. C'était là qu'elle avait trouvé le meuble.

Le bureau avait l'air en bien meilleur état que la dernière fois qu'elle l'avait vu. Sam en avait restauré le dessus et avait réparé les tiroirs. C'était vraiment un meuble magnifique. Qui aurait pu imaginer qu'à l'intérieur, se dissimulait un journal intime qui pouvait causer un réel scandale et mettre dans l'embarras des hommes qu'elle ne connaissait certes pas, mais qui eux avaient bien connu sa grand-mère ?

Et si elle avouait la vérité à Sam sur-le-champ ? Il suffisait de lui demander l'autorisation d'explorer le meuble et de récupérer ce qui lui appartenait. Mais que

102

ferait-elle, s'il refusait ? S'il se fâchait en apprenant la vérité ?

Le timbre cristallin d'une horloge retentit et Sam recouvrit le meuble.

— Bon sang ! Je n'avais pas vu l'heure. Il faut vraiment que j'y aille.

Il attendit que Jenna sorte et poussa la double porte. Elle fut soulagée de constater qu'il ne la fermait pas à clé, car, elle n'avait vraiment pas besoin d'un obstacle supplémentaire.

Elle le suivit dans le couloir et monta l'escalier avec lui.

— J'espère que nous pourrons dîner ensemble, ce soir, dit-il en lui prenant la main, puis en la regardant, l'air surpris.

— Jenna ! Ta main est glacée.

Elle était anéantie. Mortifiée de devoir lui mentir, à lui, qui semblait si bon. Mais comment prendre le risque d'essuyer un refus ?

Le regarder prendre ses mains dans les siennes pour essayer de les réchauffer la fit rire.

— Ça va aller. Je vais m'exercer au violon, et mes mains se réchauffent toujours, lorsque je joue. Va prendre ta douche, avant de te mettre en retard. Tu as déjà passé trop de temps à me distraire.

— Pas suffisamment. J'adore être avec toi.

— Moi aussi, avoua-t-elle.

Il se retourna et disparut dans sa chambre, tandis qu'elle se dirigeait vers la sienne. Elle la laissa ouverte, afin de s'assurer du départ de Sam.

Après avoir approché une chaise de la fenêtre, elle prit son étui à violon et le posa sur son lit. Le magnifique Stradivarius brilla dans la lumière du soleil, l'aveuglant presque. Elle prit son archet, vérifia les cordes et commença à s'entraîner.

L'eau coulait dans la salle de bains de Sam et elle se sentit émoustillée en l'imaginant nu sous sa douche.

Ses muscles, son parfum viril… tout en lui l'excitait et elle ne quitterait pas cette maison sans avoir goûté aux fruits de la passion.

La passion. C'était ce que sa grand-mère décrivait dans son journal intime. A son tour, elle voulait la vivre avec Sam et découvrir avec lui cette contrée qui semblait si exaltante.

Elle regarda ses doigts, arrondis sur l'archer. Ce ne serait néanmoins qu'une passion de courte durée, parce que, pour elle, la musique éclipsait tout le reste.

De plus, elle savait pertinemment que Sam n'endosserait jamais le rôle du prince consort, comme son père l'avait fait avec sa mère, avant de disparaître complètement de leurs vies.

L'amour était un ennemi redoutable, mais elle le combattrait de toutes ses forces. Sam avait besoin d'une femme qui resterait à ses côtés et lui donnerait de beaux enfants, qu'ils élèveraient ensemble. Ce qu'il lui fallait, c'était une épouse qui accepterait la vie au Wildcatter et en apprécierait tous les aspects. Elle, elle ne pourrait jamais lui offrir tout cela.

Sa vie, c'était ses concerts. C'était changer de ville semaine après semaine.

Sa vie, c'était la musique, et seulement la musique.

L'eau s'arrêta et elle entendit la porte de la salle de bains s'ouvrir.

En pénétrant dans sa chambre, Sam avait repoussé la porte, mais elle n'avait pas claqué et s'était rouverte d'elle-même. Dans l'interstice entre le montant de la porte et le bord du mur, elle pouvait le voir en train de s'essuyer avec sa serviette de toilette, inconscient du regard qu'elle portait sur lui.

Excitée par son indiscrétion, elle l'observa en toute impudeur : son corps était puissamment musclé grâce aux nombreuses heures qu'il consacrait aux travaux physiques, ses cuisses, grâce à l'exercice de la selle, semblaient dures comme l'acier, son ventre était plat, ses abdominaux superbes. Quant à sa large poitrine et à ses bras musclés, elle songea qu'il devait faire bon s'y blottir.

Jamais elle n'avait été aussi excitée à la simple vue d'un homme.

Mais Sam était plus qu'un simple corps, aussi sexy fût-il. Il était intelligent, avait un solide sens de l'humour, des responsabilités importantes dans une ville qui était l'héritage laissé par ses ancêtres, du courage, ainsi qu'une force et une gentillesse qui l'émouvait.

Il continua à se sécher, avec la même énergie qui l'habitait dans chacune de ses tâches quotidiennes.

A plusieurs reprises il disparut de sa vue ; elle l'entendit ouvrir des tiroirs, un placard, et le vit s'habiller au fil de ses allées et venues.

Puis il disparut encore. Elle l'imaginait plus qu'elle ne le voyait, prendre sa pochette, attacher sa montre, ramasser sa petite monnaie et l'enfouir dans sa poche.

Elle entendit ses pas sur le palier lorsqu'il sortit de sa chambre et s'approcha de la sienne, au moment même où elle reposait l'archer sur son violon.

Il lui fit un petit signe de la main, et sourit.

— Passe une bonne journée.

Elle lui rendit son sourire, et ils restèrent un instant ainsi, les yeux dans les yeux.

Ensuite, elle attendit le claquement de la porte d'entrée pour ranger le violon dans son étui, se précipiter à la fenêtre et observer Sam saluer Caleb — qui était en train de sortir un magnifique étalon noir de la grange — avant de monter dans son 4x4.

L'engin disparut sur la route.

A pas de loup, Jenna descendit au rez-de-chaussée et se dirigea vers le bureau. Mais au même moment, le bruit d'un moteur retentit dans l'allée, et elle fronça les sourcils. Avait-il oublié quelque chose ? Elle se précipita dans le couloir et avait à peine posé le pied sur l'escalier qu'un coup fut frappé à la porte.

Elle hésita un bref instant, puis se retourna et traversa le hall. A travers la vitre, elle vit trois hommes qui attendaient sur le perron.

Elle leur ouvrit et le plus grand des trois s'adressa à elle.

— Sam ou Maria sont-ils là ?

— Non, ils sont sortis tous les deux.

— Pas de problème. Je suis Jake Stanton, et voici mes deux fils. Nous sommes ici pour terminer les travaux dans le bureau de Sam. Nous essaierons de faire le minimum de bruit.

Flûte, quelle barbe ! Juste au moment où elle pensait pouvoir commencer ses recherches. Quand donc aurait-elle un moment tranquille ?

Elle essaya de faire bonne figure et leur ouvrit la porte en grand.

— Je vais bientôt sortir également, dit-elle le plus aimablement possible, donc vous ne me dérangerez guère.

Au même moment la voiture de Maria apparut au loin, et elle sut qu'elle n'avait plus aucune chance d'explorer le bureau maintenant.

Il faudrait donc qu'elle y jette un coup d'œil ce soir.

7.

Le 10 octobre 1957

Dansez avec moi, m'a-t-il demandé.

La réception, dont j'étais l'invitée d'honneur, était terriblement ennuyeuse. Mes yeux se sont posés sur lui et je l'ai laissé me conduire sur la piste de danse.

Être dans ses bras était comme m'envoler vers le paradis. Je n'ai pas pu m'empêcher de sourire lorsqu'il m'a tenue un peu plus serrée contre lui et que j'ai senti les battements précipités de son cœur.

C'était un homme superbe, aux cheveux et aux yeux extrêmement sombres. J'y voyais briller l'étincelle du désir qu'il éprouvait pour moi.

Je savais qui il était. J'avais entendu des rumeurs selon lesquelles il était un prince d'Egypte, descendant des pharaons et expert en femmes. Peut-être était-ce enfin lui ? Celui que j'attendais pour lui faire découvrir les affres de la passion.

Il a dit qu'il souhaitait que le rejoigne dans son palais. Qu'il me désirait.

Nous nous tenions au milieu de la piste, nos deux corps comme mêlés l'un à l'autre, nos cœurs battant à l'unisson. Bien sûr, je lui dis que je ne pouvais pas quitter ainsi la réception, mais il insista, prétendant que les festivités pouvaient très bien continuer sans moi.

J'avais envie de découvrir l'interdit avec lui, j'ai donc quitté la réception et me suis précipitée dans son palais, en bordure du Caire.

Il m'a fait pénétrer dans une pièce magique, où se trouvaient une fontaine à cascade et des divans bas garnis de nombreux coussins.

Sans perdre de temps, il m'a attirée à lui et m'a embrassée. Il avait le goût du vin et du mystère. Il continua à m'embrasser passionnément et je me sentis bientôt gémir sous ses baisers.

Lentement, dans des gestes sensuels et retenus, il a retiré tous ses vêtements et les a jetés au loin. J'adorais le regarder et sentir le désir monter en moi.

Sa bouche, sur mes seins, sur mon corps, était chaude. Soudain, je criai en le sentant verser quelque chose de lourd sur mon sein. Lorsque j'ouvris les yeux, je le vis sourire. Il tenait une fiole dans sa main et je vis que le liquide ambré qu'elle contenait était du miel. Il me dit que j'avais un goût exquis, et je me mis à rire comme une idiote.

Aucun homme ne m'avait encore dit une chose pareille.

Puis il plongea ses doigts dans le miel et les porta à ma bouche. En le goûtant sur ma langue, je crus m'évanouir de plaisir. Il m'embrassa, savourant le goût du miel dans ma bouche, sa langue me fouillant profondément. Puis, il baissa la tête et prit mon téton dans sa bouche, suçant le miel et mon sein.

Je me tortillais de plaisir sous lui, et, sans s'arrêter, il versa du miel sur mon autre sein. En sentant le liquide doré couler sur la pointe de mon sein tendu, une douce moiteur envahit mon entrejambe.

Lorsque sa langue suivit la trace du miel, je me mis à gémir et enfin je jouis, les sensations explosant en moi comme un feu d'artifice.

Lorsqu'il me prit, son sexe entra en moi d'un seul coup. Je sentis un autre orgasme monter par strates et je m'abandonnai à ses caresses.

Plus tard, alors que je me reposais entre ses bras, il me parla de ses ancêtres et me montra des anneaux incrustés de pierres précieuses. Bien sûr, naïvement, j'ai cru qu'il s'agissait de boucles d'oreilles. Mais il m'apprit qu'ils étaient faits pour être portés aux pointes des seins, et que les femmes s'en paraient comme d'un bijou sexuel, destiné à exciter les hommes. J'étais très intriguée et lui demandai de quelle façon les femmes se faisaient percer le bout des seins.

Il me demanda si j'accepterais de les porter pour lui. Je lui répondis que je trouvais l'idée très excitante et que j'aimerais essayer.

Le 12 octobre 1957

Lors de notre rencontre suivante, je décidai de le surprendre : je me mis à danser et me déshabillai lentement pour lui, au son de la musique marocaine que jouait son gramophone. Lorsque je lui dévoilai mes seins, il gémit en voyant que je portais les anneaux. Je vis qu'il devenait fou de désir et eut aussitôt l'impression de détenir un mystérieux pouvoir. Les anneaux ondulaient au rythme de mon corps ; ils étaient si puissamment érotiques que j'eus un premier orgasme rien qu'en dansant.

Lorsque la musique s'arrêta, il me fit allonger sur le divan et commença à me lécher les seins, en titillant les pointes percées. Jamais je n'avais ressenti une telle sensation, et je jouis si fort que j'en eus le souffle coupé. Puis il plongea en moi, m'emportant sur les sommets de la passion.

Ce ne fut que bien plus tard, alors qu'il s'était endormi en me serrant dans ses bras, que j'éprouvai une étrange mélancolie. Pourquoi ? Je n'en sais rien.

J'avais expérimenté ce que je souhaitais, mais je ne sais toujours pas pourquoi j'éprouvai alors cette curieuse sensation.

Je quittai l'Egypte avec les anneaux, le souvenir de nos étreintes… et rien d'autre.

Allongée sur son lit à baldaquin, Jenna referma le carnet. Son rythme cardiaque s'était accéléré et elle se sentait excitée. Une telle audace, un tel abandon… Quel effet cela faisait-il, de se laisser aller ainsi ? L'amour était-il à ce point indispensable dans la vie d'une femme ? Peut-être était-ce la leçon que tentait de lui transmettre ce journal paré de la délicate écriture de sa grand-mère.

La journée s'était déroulée dans un tourbillon d'activités. Elle avait abandonné le bureau aux Stanton dès leur arrivée, et était partie répéter dans le superbe théâtre de l'université. L'acoustique en était parfaite et mettait chaque note en valeur.

Durant la réception, elle eut l'impression de rencontrer mille et un étudiants, chacun la pressant de questions. Elle salua, encouragea, répondit aux demandes, sourit, réussit à grignoter entre deux conversations, et finalement passa un excellent moment. Les habitants de Savannah étaient décidément des personnes chaleureuses et sympathiques.

Lorsqu'elle rentra au ranch, Maria était là et Sam était déjà rentré, mais il n'avait pas dîné car six vaches avaient mis bas, ainsi que deux juments.

Elle laissa une heure s'écouler : il était minuit, Sam était certainement endormi et elle avait tout loisir d'explorer le bureau.

Elle se leva et remit le journal intime dans sa mallette. Il était temps de trouver le second tome, ainsi que ces étranges bijoux. Des anneaux à porter au bout des seins ? Incroyable !

Sa grand-mère était décidément bien audacieuse, et elle s'interrogeait sur les conséquences d'un tel comportement.

Simplement vêtue de sa chemise de nuit transparente, elle se glissa hors de sa chambre et regarda la porte de Sam, sentant un immense désir l'envahir. La lecture du premier carnet l'avait davantage émoustillée qu'elle ne s'y attendait, mais l'heure n'était pas à aller batifoler avec Sam.

Rapidement, elle descendit l'escalier et se rendit à son bureau. Tournant la poignée, elle ouvrit la porte. Dans la faible lumière, elle distingua un homme assis dans un fauteuil en cuir et qui tenait un verre dans la main.

— Jenna ?

Mon Dieu ! Sam n'était pas dans son lit, et elle était prise au piège ! Il se leva et posa son verre sur la table basse. Incapable de reculer, elle avança dans la pièce.

Apparemment, il venait juste de prendre une douche et ses cheveux étaient encore humides.

— Que fais-tu encore debout à cette heure ? demanda-t-elle, essayant de masquer sa surprise. Tu dois être éreinté.

— Je n'arrive pas à dormir.

Sa beauté virile la fascinait. Ses yeux, bleu sombre, dans lesquels elle remarqua aussitôt une étincelle de désir, étaient rivés aux siens.

Elle s'avança vers lui, et sans un mot, déboutonna sa chemise, en écarta les pans et la repoussa sur ses épaules. La chemise glissa sur le tapis. Elle fit courir ses doigts sur la toison brune qui ornait son torse. En sentant ses mains sur lui, Sam poussa un soupir. Cela la fit hésiter. Elle avait tant envie de lui… mais elle devait auparavant s'assurer que tout était bien clair entre eux. D'ordinaire, elle ne consacrait pas tant d'attention aux émotions de ses partenaires.

Laissant ses mains courir sur lui, elle se plaça derrière lui. Elle se pressa contre son dos, posa ses lèvres sur sa peau et l'embrassa. Puis ses mains et ses lèvres prirent le même chemin, descendant dans son dos, le couvrant de baisers.

A un instant elle tourna la tête, et se figea.

Le bureau était là, tout près d'elle, émergeant de l'obscurité, juste à portée de main. Une vague de culpabilité l'envahit. Séduire Sam pour arriver à ses fins était une forme de trahison. Tout ce qu'ils pourraient jamais partager ensemble porterait les stigmates de sa duplicité.

Sam se retourna, lui prit les mains et l'attira à lui.

— A quoi joues-tu ? Cela te plaît de me torturer ?

Sans attendre de réponse, il releva sa chemise de nuit et l'embrassa. Jenna se sentit perdre tout contrôle. Il prit son téton dans sa bouche et le suça, tandis qu'elle gémissait et se tordait de plaisir sous lui.

Elle leva les yeux vers lui et se sentit soudain dépassée par ses sensations. Un sanglot dans la gorge, elle s'écarta de lui et se précipita hors de la pièce.

Il la rattrapa à mi-hauteur de l'escalier.

— Jenna, attends ! Je suis désolé ! Je croyais que tu me taquinais ! Je ne voulais pas t'effrayer.

Elle courut jusqu'à sa chambre et s'arrêta, pétrifiée, devant le miroir. Etait-ce son reflet qu'elle y voyait ? La femme qui lui faisait face ne lui ressemblait pourtant pas. Elle avait l'air sauvage, aguichante, provocante. Ses lèvres étaient gonflées et ses yeux lançaient des étincelles de désir.

Sam arriva derrière elle et gémit en contemplant son reflet dans le miroir. Elle savait qu'il y voyait la même chose qu'elle : une femme folle de désir.

Elle sentit sa main caresser ses cheveux. Puis il retira l'élastique qui les maintenait, et ses mèches tombèrent en cascade sur ses épaules.

Il fit glisser les bretelles de sa chemise de nuit sur ses épaules et se pencha pour embrasser sa peau nue. Puis elle se tourna et lui fit face.

Il s'approcha plus près d'elle encore, et posa ses lèvres sur les siennes, introduisit sa langue et l'embrassa passionnément.

S'écartant d'elle, il vit que sa chemise de nuit recouvrait encore ses seins. Il se pencha pour les libérer, les caressa, et Jenna gémit en sentant ses doigts sur ses tétons durcis. Elle tira sur la chemise de nuit qui glissa jusqu'au sol.

Elle n'avait plus rien sur elle, excepté le petit triangle de soie de sa culotte, qui séparait encore son intimité des caresses de Sam.

Il embrassa ses épaules, sa langue glissant dans son cou tandis qu'il caressait langoureusement ses seins, en faisant rouler les pointes entre ses doigts, les pinçant, les agaçant.

Il leva légèrement la tête et regarda leur reflet dans le miroir. Il était évident que Jenna avait perdu tout contrôle d'elle-même, s'abandonnant entièrement à ses caresses, et un profond désir s'empara de lui. La chaleur et la douceur de ses seins, entre ses mains, le rendaient complètement fou.

Il glissa sa main de plus en plus bas, jusqu'à son sexe. Jenna cria de plaisir et se frotta contre sa main. Puis elle se tourna vers lui, et caressant sa poitrine, fit descendre sa main jusqu'à sa ceinture. D'un geste sûr, elle la pressa contre sa braguette, le caressant déjà à travers la toile. En sentant ses doigts se glisser à l'intérieur de son pantalon, il gémit de plaisir. Excité, il l'embrassa pendant qu'elle caressait doucement son sexe entre ses doigts.

Il serra les dents en sentant sa main se refermer sur son érection, mais perdit tout contrôle lorsqu'elle commença à faire aller et venir sa main le long de son sexe. En un éclair, Jenna lui retira son jean et prit son sexe à pleines mains.

Son excitation grandissait de plus en plus, et fermant les yeux, il se laissa aller à ses caresses.

Quelques instants plus tard, il s'écarta d'elle et la fit se retourner, de façon à ce qu'elle ait son dos de nouveau contre sa poitrine. Glissant une main sous l'élastique de son string, il le lui retira et le jeta sur le sol. Puis, s'agenouillant derrière elle, et glissant sa main sur ses fesses, il la fit se pencher en avant, jusqu'à ce qu'il ait bientôt son sexe face à lui, chaud et humide, et qu'il puisse y plaquer sa bouche. Aussitôt, il commença à la lécher, lui donnant du plaisir avec sa langue, la traquant dans ses replis les plus secrets, caressant les lèvres, suçant son clitoris. Puis, tout en continuant, il introduisit un doigt en elle et l'entendit gémir de plus belle. Son doigt s'enfonçait de plus en plus profondément dans son sexe humide, puis ressortait, pour mieux s'enfoncer de nouveau, tandis que sa langue, chaude, suivait le rythme. Jenna cria encore et encore sous le double assaut.

Il voulait qu'elle se souvienne de lui et oublie tous les autres hommes qu'elle avait rencontrés. Il voulait être le seul à la mettre dans un tel état d'excitation et de jouissance.

Ses cris de plaisir lui firent perdre tout contrôle. Il la voulait. Maintenant. Ici. Il n'avait aucune envie d'attendre plus longtemps, ni même de perdre du temps à l'emmener au lit.

Il retira les derniers vêtements qui l'encombraient encore. L'attrapant par les hanches, il se pressa contre elle, son sexe dur contre le sien, toujours si chaud, si humide.

— Je t'en prie, Sam, je ne peux plus attendre. Viens, gémit-elle.

— Nous n'avons pris aucune précaution.

— Viens, je t'en prie !

D'un coup de rein puissant, il plongea en elle, se fondant dans son intimité.

Reprenant son contrôle pendant un moment, il cessa de bouger, puis reprit ses mouvements. Il la pénétrait lentement, langoureusement, entrant et sortant d'elle tout en essayant de contrôler les pulsions de désir qui montaient en lui.

Puis, de nouveau, il s'enfonça en elle profondément et Jenna se mit à crier de plaisir. Elle se déhancha de plus belle contre lui et il voyait son sexe entrer et sortir d'elle plus vite qu'il ne pouvait le contrôler. Ses hanches claquaient contre les fesses de Jenna et soudain, elle se raidit et se mit à gémir intensément. C'en fut trop pour lui et il perdit tout contrôle.

Sur une dernière poussée, encore plus profonde, il se laissa aller à son plaisir.

8.

Un moment s'écoula avant qu'ils ne retrouvent leurs esprits. Sam s'écarta doucement d'elle, Jenna se retourna puis lui passa les bras autour du cou.

La façon dont ils avaient perdu tout contrôle d'eux-mêmes la sidérait. Ses aventures précédentes n'étaient rien en comparaison de celle-ci. Le désir avait supplanté le moment de panique qu'elle avait ressenti en pénétrant dans le bureau. Pourquoi diable essayait-elle d'échapper à ce qui lui faisait tant envie ?

Elle désirait Sam, et il la désirait tout autant. Leur ballet amoureux, depuis le moment où ils s'étaient rencontrés à l'aéroport, les avait guidés vers cet instant, le plus érotique de toute sa vie.

Sam la fixait, et écarta gentiment une mèche de cheveux de son visage. En sentant toute la tendresse qu'il lui manifestait, en glissant ses bras autour d'elle et en la tenant serrée tout contre lui, elle sentit des larmes lui monter aux yeux.

D'un mouvement, il la prit dans ses bras, et, sans se soucier de leurs vêtements éparpillés par terre, il la conduisit dans sa chambre. Il la posa délicatement sur le lit, mais elle refusa de le lâcher.

A la lueur de la lune, il étudia son visage quelques secondes.

— Reste avec moi, ce soir, demanda-t-il d'une voix douce.

Elle ferma les yeux un instant. Une émotion s'emparait d'elle, qu'elle ne parvenait pas à identifier ; qu'elle ne voulait surtout pas identifier. Il lui demandait de rester avec lui. De dormir avec lui. C'était quelque chose qu'elle n'avait jamais fait, avec aucun homme. C'était bien trop intime et impliquait une réelle confiance mutuelle. D'ailleurs, elle ne s'était jamais sentie désirée à ce point et cela l'effrayait presque.

Sam la prit dans ses bras et elle s'y pelotonna, essayant de chasser sa peur. Pour la première fois de sa vie, l'horrible sentiment de solitude qui l'étreignait souvent semblait s'évanouir.

Mais tout ceci n'était que provisoire, se dit-elle en soupirant dans les bras de Sam.

Seulement provisoire.

Elle s'éveilla en sentant la bouche chaude de Sam sur son sein. Se tournant vers lui, elle lui caressa les cheveux, puis les épaules.

— Sam, gémit-elle tandis qu'il lui embrassait l'autre sein.

Il gémit et glissa les mains entre ses cuisses, jusqu'à son sexe. Lorsqu'il commença à la caresser, puis à la pénétrer avec son doigt, elle haleta.

Les mains de Jenna glissèrent des épaules de Sam jusqu'à sa taille, puis son bas-ventre, mais évitèrent son érection.

— Touche-moi, souffla-t-il. Vas-y, tu me rends fou.

— Continue à mordiller mes seins, Sam, c'est si bon.

Il obtempéra, prenant un téton dans sa bouche, l'aspirant et le taquinant de ses dents.

Elle enroba son pénis d'une main, qu'elle fit aller et venir à plusieurs reprises. Sam se pressait contre elle. Elle le repoussa et le fit rouler sur le dos, contemplant, fascinée, la façon dont il se déhanchait sur le lit, poussant son sexe dur dans sa main tandis qu'elle continuait à l'exciter. Lorsqu'elle prit la pointe de son pénis dans sa bouche, il frémit et cria son nom. La peau de son sexe était douce comme du velours et si chaude… Elle le caressa avec sa langue. Lorsqu'elle le prit tout entier dans sa bouche, et le suça de haut en bas, Sam sembla perdre tout contrôle et se contracta sur le lit.

Il l'attrapa par les épaules.

— Jen, je t'en prie.

Elle ralentit son rythme et retira presque sa bouche, avant de s'en saisir de nouveau.

— Bon sang ! Tu me rends dingue ! dit-il.

Elle le prit encore et encore dans sa bouche, enfonçant son sexe de plus en plus profondément entre ses lèvres. Elle en tremblait presque, tant elle le désirait. Oui, elle avait autant envie de lui, que lui d'elle.

— Jen…, la supplia-t-il.

Elle releva la tête, et rampant sur lui, remonta lentement sur son corps. L'attrapant par la nuque, il prit sa bouche avec passion et l'embrassa fiévreusement.

Il posa sa main sur ses fesses et l'attira encore plus près de lui. Puis il glissa un doigt entre ses cuisses et elle frémit sous sa caresse.

Il se fit plus pressant, et ses halètements se muèrent en cris de plaisir qui l'excitèrent davantage encore. Il enfonça son doigt de plus en plus profondément en elle, et Jenna ondula en rythme contre lui. Elle ne sentait plus rien que ces doigts qui la caressaient si intimement, donnant vie à son sexe, à son corps tout entier, qui fut soudain assailli par une fulgurante extase. Elle s'abandonna au plaisir, tandis qu'il la rejoignait dans l'orgasme.

Lorsqu'elle ouvrit de nouveau les yeux, ce fut pour contempler un Sam endormi. Elle soupira en le contemplant, et sentit une immense tendresse lui étreindre le cœur.

Elle avait toujours décidé de n'avoir que de brèves liaisons, et choisissait ses partenaires en fonction de cette règle. Jamais elle ne s'était liée avec un homme qui aurait souhaité un engagement plus profond, ou qui aurait été une entrave à sa carrière. Elle ne voulait pas non plus blesser qui que ce soit, par son propre désir de ne pas s'engager.

Dès lors que ses amants n'étaient pas amoureux d'elle, elle ne risquait pas de les blesser.

Elle se passa la langue sur les lèvres, ressentant une furieuse envie de toucher Sam. Dans son sommeil, les draps avaient glissé, révélant son corps nu.

Elle s'imagina en train de le caresser et sentit son cœur battre de plus en plus vite. Au plus profond d'elle, elle avait l'impression de se trouver à une lisière. Quelque chose était là, tout près d'elle, à portée de main, mais elle ne pouvait pas y toucher.

Pas si elle voulait s'en tenir à sa ligne de conduite habituelle.

Elle promena sa main à côté de la sienne, dessina quelques arabesques sur le lit, réfléchit un instant, puis écarta sa main.

Le choc de la main de Sam se refermant sur la sienne la fit sursauter.

Il tourna la tête et l'observa. Puis il lui sourit, et la tirant par le bras, la serra tout contre lui, aussi près qu'il le put.

— Bonjour, dit-il en embrassant ses cheveux.

— Bonjour.

— Cette nuit a été fantastique.

— Hm, tu peux le dire.

Oui, la nuit avait été délicieuse, songea-t-elle en pensant au journal de sa grand-mère. Son aïeule avait découvert ce qu'elle cherchait, alors qu'elle-même avait à peine conscience qu'une telle passion pût exister.

Elle se sentait coupable, aussi regarda-t-elle ailleurs, ses yeux s'attardant sur la montre qu'il avait posée sur la table de nuit. Elle tendit la main, l'attrapa, se cala contre Sam et observa le bijou.

— C'était celle de mon arrière arrière-grand-père. Il l'a donnée à mon grand-père, qui l'a ensuite transmise à mon père. Lorsque mon père est décédé…

Les mots de Sam moururent dans sa gorge. Elle leva les yeux sur lui et découvrit une immense douleur sur son visage, qui lui étreignit le cœur.

Comment pouvait-elle penser qu'un homme tel que lui, aussi bon, qui semblait tellement tenir à un objet faisant partie de son héritage familial, ne comprenne pas sa requête pour récupérer le journal de sa grand-mère ?

Elle l'enlaça et se serra contre lui. Durant un moment, ils restèrent ainsi, en silence.

— Raconte-moi, dit-elle doucement.

— Cela faisait partie de ce qu'il m'a légué. Le ranch, le bétail… et tout le reste. S'il y avait eu un meilleur hôpital ici, mon père aurait survécu à son attaque.

— C'est pour cette raison que tu tiens tant à rénover l'hôpital ?

— Oui, mais aussi pour aider les gens d'ici. C'est ce que mon père aurait souhaité. Pas pour lui-même, mais pour les habitants de Savannah. Des gens que ma grand-mère aimait beaucoup. Même aujourd'hui, malgré le développement de la ville et des environs, nous sommes toujours une communauté unie.

— C'est quelque chose qu'il faut entretenir, Sam.

— Je le fais. J'ai l'impression d'avoir une responsabilité envers eux, transmise par mon arrière arrière-grand-père. Il a bâti ce ranch et cette ville à la sueur de son front.

Sam appuya sur le remontoir de la montre et le couvercle s'ouvrit.

— Je comprends tout à fait que tu te sentes responsable de l'héritage que t'ont laissé les tiens. Mon héritage à moi, c'est la musique. A son époque, ma grand-mère a été une cantatrice célèbre. Quant à ma mère, elle a suivi sa trace.

— Et toi ? Pourquoi as-tu choisi le violon ?

— Parce que je ne voulais pas entrer en compétition avec ma propre mère.

— Pourquoi pas ?

— Il faut que tu saches que c'est ma grand-mère qui m'a élevée, parce que ma mère était trop occupée par sa carrière. L'opéra est toute sa vie. C'est comme une drogue pour elle ; la célébrité, l'adulation des foules, elle adore cela. Elle n'aurait certainement pas apprécié que je détourne les projecteurs à mon profit.

— Tu es bonne ?

— Vocalement parlant ?

— Bien sûr, à quoi croyais-tu que je faisais allusion ?

Elle sourit.

— Ma grand-mère disait toujours que j'aurais pu faire carrière comme chanteuse d'opéra. Aurais-je été meilleure que ma mère, ça je n'en sais rien. Mais le violon représente tout pour moi.

— Tu dis cela comme si rien d'autre n'avait d'importance dans ta vie.

— Depuis que ma grand-mère est décédée, c'est le cas, Sam. Jouer du violon est tout ce qui compte.

Il hocha la tête.

— Aucune place pour quoi que ce soit d'autre ?

— Non.

Il se détourna, se pencha au bord du lit et reposa sa montre sur la table de nuit.

Puis il prit son visage entre ses mains.

— C'est triste, Jenna. Très triste.

— Tu sais, l'absence permanente de ma mère m'a rendue très solitaire, et la musique m'a servi de consolation. Je n'ai besoin de personne, je suis indépendante et j'aime ma vie telle qu'elle est. Je ne vois rien de triste là-dedans.

— Tu ne penses donc pas à ton futur ?

— Bien sûr que si. J'espère qu'un jour j'enseignerai dans une prestigieuse académie, à moins que je n'ouvre ma propre école.

— Je parlais de famille, Jenna.

Elle sentit son estomac se crisper.

— Jamais. Je ne m'imagine pas du tout en maman.

— Parce que la tienne était si distante ?

— Je ne pense pas pouvoir me consacrer à la fois à une famille et à ma musique. Et je n'ai aucune envie de renoncer à mon art, comme l'a fait ma grand-mère.

Il la serra contre lui.

— Dommage.

Elle resta allongée contre lui, acquiesçant en silence à son propos. C'était peut-être dommage, mais c'était le chemin qu'elle s'était choisi. L'idée de personnes dépendant d'elle, attendant quelque chose d'elle la glaçait d'effroi....

Au bout d'un moment, Sam remua.

— Que dirais-tu de faire un tour en ville ? Il faut que tu t'achètes des vêtements plus adéquats, si tu veux te sentir à l'aise.

Une vague de culpabilité l'assaillit. Il avait été si généreux en l'accueillant dans son ranch ! Pourtant, elle lui dissimulait toujours la véritable raison de sa présence ici. Elle allait lui dire la vérité et repartir avec lui sur des bases honnêtes.

— Sam ?

— Mmm, murmura-t-il en enfouissant son visage dans son cou et en la couvrant de baisers.

— J'aimerais te dire quelque chose..

La sonnerie du téléphone la fit sursauter, et instinctivement Sam tendit le bras pour décrocher l'appareil.

— Winchester.

Il écouta son interlocuteur durant quelques instants et fronça les sourcils.

— Nous sommes trop justes ? De combien ?

Jenna le regarda se concentrer sur sa conversation et se pencha par-dessus le lit, à la recherche de sa chemise de nuit. Soudain, elle se rappela qu'elle était restée dans sa chambre, par terre.

— Ne t'en fais pas, Lester. Nous trouverons ce qui manque. J'en parlerai à qui de droit.

Il s'interrompit et sa voix se fit encore plus ferme.

— J'obtiendrai cela d'une façon ou d'une autre, même si je dois y laisser ma chemise, ou vendre mon âme au diable. Je te le promets. La rénovation de l'hôpital est ma priorité absolue.

En entendant ces paroles, un immense regret l'envahit, blessant son cœur. Elle ferma les yeux, se rendant compte à quel point elle avait été près de révéler son secret, de dévoiler la vie privée de sa grand-mère dans sa partie la plus intime, à quelqu'un qui ne comprendrait pas, et apprécierait sans doute encore moins la quête d'une jeune femme de cette époque pour la passion absolue.

Même si elle savait que Sam était un homme généreux, dont les motivations altruistes étaient évidentes et clairement définies. Mais après tout, qui savait s'il n'exploiterait pas le trésor de sa grand-mère ? Le journal intime d'une cantatrice célèbre pourrait rapporter beaucoup d'argent dans une vente aux enchères.

Elle avait certes confiance en lui mais ne pouvait courir le risque de laisser trahir les volontés de son aïeule au profit d'une cause, aussi honorable soit-elle.

Ce que Sam et elle partageaient était tout récent, et guère solide. Ce n'était que du sexe, génial peut-être, mais rien d'autre. Après quatre jours passés en sa présence, il apparaissait clairement que Sam était homme à ne pas lâcher ses objectifs jusqu'à leur accomplissement final, sans craindre ce qui pouvait se mettre en travers de sa route.

Il ne fallait pas qu'elle oublie le sien.

Trouver le carnet, et partir d'ici.

De l'autre côté du lit, Sam lui sourit.

— Alors, qu'étais-tu sur le point de me dire ?

— Que je n'aurai besoin que de trois quarts d'heure pour me préparer.

Elle quitta sa chambre, prit une douche et s'habilla. Alors qu'elle ouvrait sa porte pour le rejoindre, elle se rendit compte qu'il n'était pas prêt. Elle referma la porte et inspira profondément.

Puis elle ouvrit sa mallette et prit le premier tome du journal.

Le 20 novembre 1957

Elle s'appelait Mme Bridgett Delacroix. Après m'avoir écoutée sur scène, elle m'invita à venir dans sa propriété et à y séjourner pour la nuit. J'étais très excitée par cette idée, parce qu'après plusieurs jours de concert, j'avais envie de découvrir la France, avant d'en repartir.

Lorsque nous arrivâmes chez elle, le déjeuner était servi dans le patio qui offrait une vue magnifique sur de superbes jardins.

Pendant que nous déjeunions, un homme très beau vint nous rejoindre. Ses yeux et ses cheveux étaient sombres, presque noirs. Après m'avoir été présenté, il s'inclina devant moi et me fit un baisemain, en effleurant mes doigts. J'eus l'impression de sentir des étincelles dans tout mon bras.

Bridget me présenta cet homme comme un de ses amis très chers. Il s'appelait Henri. Ensuite, elle me prit par la main et me conduisit à l'intérieur de sa demeure.

En m'éloignant, je sentis le regard d'Henri posé sur moi. J'aurais tant aimé rester dans le jardin et discuter avec lui, mais mes bonnes manières me rappelèrent à l'ordre, et je ne voulais pas froisser mon hôtesse.

Les murs de son intérieur étaient ornés de peintures érotiques et des sculptures suggestives étaient posées sur diverses étagères. J'essayais de ne pas les regarder, mais elles me fascinaient.

Bridgett remarqua mon intérêt et me dit de ne pas hésiter à contempler tout ce qui me plaisait.

Je lui demandai alors où elle avait trouvé tous ces objets. Elle se contenta de me sourire d'un air mystérieux en me répondant simplement : « Ici et là. »

Le 21 novembre 1957

Le lendemain matin, quand je fus éveillée, je descendis au rez-de-chaussée et trouvai Bridgett dans le salon. Elle était en train de refermer mon journal intime, et c'est alors que je me rappelai l'avoir oublié la veille au soir. Je le lui arrachai des mains, l'informant que mes écrits étaient privés. J'étais très énervée.

Elle était intriguée par ma quête de plaisir et m'apprit qu'elle était en réalité une courtisane, de haut niveau, réservant son temps pour une élite.

Elle offrait ses services à de riches gentlemen qui désiraient expérimenter ce qu'il y avait de mieux en matière de compagnie féminine...

Un instant plus tard, elle me prenait la main pour me conduire à l'étage, dans sa chambre. Là, elle se dirigea vers sa boîte à bijoux, et en sortit une fine chaîne d'or, qu'elle déposa entre mes mains.

Elle m'invita à porter cette chaîne sous mes vêtements, et prétendit que, grâce à elle, je me sentirais séduisante et étrangement puissante avec les hommes. Ensuite, elle m'apprit qu'Henri était très attiré par moi, et que, si je souhaitais poursuivre mon initiation au plaisir, il serait certainement ravi de m'y aider.

J'acceptai et elle me conseilla de retourner dans ma chambre. Là, je me dévêtis, attachant la fine chaîne autour de ma taille. Lorsque j'entendis frapper, j'invitai à entrer. Henri vint jusqu'à moi. Ses mains chaudes caressèrent tout d'abord ma taille, et je me sentis frissonner tandis que ses mains partaient à la découverte de mon corps.

Il me dit que j'étais magnifique, et défit les épingles de mon chignon. Lorsque je sentis mes cheveux tomber en cascade sur mes épaules et dans mon dos, ce fut comme une caresse d'une extrême sensualité. Je gémis doucement lorsqu'il écarta ma chevelure pour m'embrasser dans le cou. Ses lèvres étaient fabuleusement douces et ses baisers comme une promesse d'eden.

Il joua avec la chaîne autour de mes reins et je sentis des spasmes de désir dans mon ventre à chaque effleurement de ses doigts. Ses mains vinrent ensuite explorer mon corps et se refermèrent sur mes seins.

« S'il te plaît… » Ce fut tout ce que je réussis à lui chuchoter et il continua à caresser mon corps. Tout ce que je voulais c'était sentir de nouveau ses mains sur mes seins tendus de désir.

Il gémit et m'embrassa, en un baiser passionné qui me rendit brûlante. Puis sa bouche descendit jusqu'à mon sein, dont il suça la pointe, jusqu'à ce que, le souffle court je gémisse de plaisir. Ses lèvres étaient chaudes et sa langue léchait ma peau. Lorsqu'il revint vers ma bouche, je m'agrippai à sa ceinture et déboutonnai son pantalon, libérant son sexe puissamment érigé, que je pris dans ma main.

Henri me regarda droit dans les yeux, me demandant si je savais donner du plaisir à un homme avec ma bouche. Je n'avais jamais essayé, mais j'étais prête à le faire.

Il me conduisit jusqu'au lit, m'installant à genoux entre ses cuisses. Je baissai ma bouche pour le prendre. Il gémit, se pressa contre mes lèvres, et soudain, fut en moi. Je ne savais pas qu'une femme pouvait avoir un tel pouvoir sur un homme. Il me dit comment procéder. Oh, ses mots étaient crus, sauvages, et m'excitaient terriblement. Je le fis gémir de plaisir et vis ses mains agripper le couvre-lit.

J'adorais cela.

Soudain, il n'y tint plus. Il m'allongea sur le lit et déclara que c'était à mon tour d'avoir du plaisir. Lorsque sa bouche toucha mon sexe, je gémis de surprise et de plaisir. Cela aussi, était nouveau pour moi.

Finalement, il vint sur moi et plongea en moi avec une telle force que je me cambrai en criant.

Son sexe, énorme et dur, m'emplissait totalement et mes hanches se mouvaient en rythme avec lui.

Jamais je n'aurais imaginé connaître un tel déferlement de sensualité et de passion.

Peu après, je quittai la propriété de Bridgett dans la voiture de laquelle j'étais arrivée. J'emportai avec moi un nouveau souvenir à ajouter à ma collection de bijoux érotiques. Un objet qui me rappellerait ces quelques heures de passion que j'avais partagées dans une magnifique demeure française.

Pour autant, je n'étais pas encore totalement comblée.

Mon voyage initiatique devait continuer.

Jenna remit le carnet en place dans sa mallette. Elle ferma les yeux, se demandant s'il était possible qu'un autre homme fût plus doué au lit que Sam. Même en cet instant, séparée de lui, elle le désirait encore.

Sans hésiter une seconde, elle quitta sa chambre et se dirigea vers la sienne. Elle retira ses vêtements et ouvrit la porte de la salle de bains.

Il s'approcha d'elle lorsqu'elle entra sous la douche, et elle se pressa contre lui.

— Est-ce que cela te dérange, si je prends un petit peu plus de temps pour me préparer ?

Elle le regarda, sourit, et l'embrassa.

Savannah était une ville bien plus importante qu'elle ne l'avait imaginé. Tandis que Sam conduisait, elle remarqua divers restaurants, plusieurs banques et de nombreuses boutiques.

Sam se gara, et la conduisit à l'intérieur de l'une d'elles.

— Bonjour, Sam, dit une jeune femme en s'approchant d'eux. Voici donc la fameuse musicienne dont j'ai entendu parler ?

— C'est bien elle. Et nous avons fait un tabac, l'autre soir, grâce à elle.

— Ravie de vous rencontrer, dit la jeune femme en s'adressant à elle. Je m'appelle Lurlene Kellar. Mes parents sont les propriétaires de cette boutique. Nous sommes vraiment ravis que vous ayez accepté de nous aider dans cette collecte de fonds. Ma mère ne va pas très bien ; en tout cas, pas autant qu'elle aimerait nous le faire croire, et ce nouvel hôpital serait vraiment une bénédiction. Au moins, suis-je certaine qu'elle pourrait y recevoir tous les soins dont elle a besoin.

Un sentiment imprévu s'empara de Jenna. En proposant ses services, elle n'avait pas pensé à tous ces gens, ni à ce qu'un nouvel hôpital, plus moderne, représentait pour eux. Jusqu'à présent, tout ceci était resté quelque peu abstrait pour elle.

Elle, elle vivait à New York, où l'on pouvait appeler les urgences en un clin d'œil. Jamais elle n'avait eu à se soucier de trouver un médecin, qu'il soit généraliste ou spécialiste. Mais tous ces gens, ici à Savannah, dépendaient de l'hôpital de la ville voisine. Pour la première fois de sa vie, elle eut l'impression que sa musique allait incarner quelque chose. Au lieu de jouer pour le plaisir de son public, elle allait contribuer à améliorer la vie des habitants de toute une ville.

Elle serra la main de Lurlene.

— Bon, dit Sam, Jenna a besoin de vêtements confortables : des jeans, des bottes et des chemises. Tout ce qu'elle a amené est bien trop élégant pour le ranch.

— Eh bien, vous êtes à la bonne adresse, répondit Lurlene en leur souriant.

132

Naviguant entre les allées, Jenna commença à empiler quelques vêtements sur les bras de Sam, jusqu'à ce qu'ils atteignent le rayon des bottes.

Jenna regarda les cuirs rutilants, puis contempla les bottes de Sam, qui, visiblement, avaient vu bien plus de terrain que les siennes n'en verraient jamais.

Lurlene les conduisit jusqu'à la cabine d'essayage puis se retira au fond du magasin pendant que Jenna essayait plusieurs jeans. Après avoir vérifié que Lurlene était occupée avec un autre client, Sam s'introduisit dans la cabine d'essayage sous un fallacieux prétexte.

— Vous êtes incorrigible, Sam Winchester, dit Jenna en retenant un fou rire, tandis qu'il glissait ses mains sous sa chemise. Que dirais-tu d'aller déjeuner ensuite ? proposa-t-elle. Tu m'as fait rater le petit déjeuner ce matin.

Elle termina ses essayages, fit son choix parmi les articles et se rendit à la caisse pour régler ses achats.

— Tu es certain que je n'ai pas besoin d'un chapeau ? demanda-t-elle.

— Oh que si, répondit-il en se dirigeant vers le rayon et en en choisissant un pour elle. Puis il revint vers elle et le lui posa sur la tête.

— Allez, miss Texas, allons chercher de quoi vous remplir l'estomac.

9.

Sam se cala dans son fauteuil, les yeux rivés sur l'écran de son ordinateur. Son bureau était encore en travaux, et il avait posé l'ordinateur portable sur ses genoux, essayant de se concentrer sur les colonnes de chiffres qui dansaient sous ses yeux, mais son esprit était ailleurs.

L'aube venait à peine de se lever, lumineuse et claire, et même si cela faisait à peine une semaine que Jenna était arrivée au Wildcatter, il savait que bientôt le temps qu'ils passaient ensemble prendrait fin. Elle retournerait à New York, et lui poursuivrait sa vie ici, sans elle.

Il l'avait laissée dans son lit, après une nouvelle nuit passée à faire l'amour. Même s'il avait peu dormi, il se sentait en pleine forme, comme revigoré, et avait décidé de se mettre au travail de bonne heure.

Jenna avait été merveilleuse, cette nuit. Elle lui avait prodigué mille caresses de ses mains si douces. Sa peau était comme de la soie, et il ne se lassait pas de la caresser ; quant à ses yeux si profonds, il aurait voulu s'y noyer.

Tandis qu'il piquait les balles de foin pour les distribuer aux chevaux, il s'était remémoré la danse de leurs corps, dans l'ombre de la nuit. En remplissant les abreuvoirs, il avait songé à ses lèvres, si sensuelles, si passionnées. En piétinant dans l'herbe et dans la boue, il s'était senti réchauffé par le souvenir de sa candeur et de ses appétits.

Quant à Tooter, il n'avait jamais manifesté autant d'hostilité envers quiconque, pas même Tiffany. Voyait-il une ennemie, en Jenna ? Et si c'était le cas, en quoi cela le blessait-il tellement, lui ?

Tiffany était superficielle, alors que Jenna possédait une personnalité riche, profonde, qui l'électrisait.

Dix minutes plus tard, il éteignait l'ordinateur. Il n'arriverait à rien de bon ce matin. Tout ce dont il était capable était de penser à Jenna, couchée dans son lit. Lorsqu'il l'avait laissée, le drap dissimulait à peine ses épaules nues, ses cheveux étaient répandus sur l'oreiller et elle souriait dans son sommeil. Bon sang ! Il ne pouvait se l'ôter de l'esprit. Dormait-elle encore ?

En entendant la porte de son bureau s'ouvrir, il leva les yeux. Alors qu'il s'attendait à voir Maria entrer pour faire le ménage, ce fut la mince silhouette de Jenna qui apparut dans l'embrasure de la porte. Elle portait un de ses jeans neufs et une chemise colorée. Il déglutit en voyant qu'elle était pieds nus, ce qu'il trouvait diablement sexy, surtout avec d'aussi ravissants orteils joliment vernis.

Elle fit quelques pas dans la pièce, se dirigeant vers le fond. La lumière était si faible qu'il n'était pas certain qu'elle ait remarqué sa présence. Elle s'arrêta devant une sculpture représentant un cow-boy sur son cheval cabré, que son arrière arrière-grand-père avait acquis pour une bouchée de pain, avant que le sculpteur ne devienne célèbre. Doucement, elle caressa la sculpture et il se demanda quelles pensées lui traversaient l'esprit.

Puis elle se détourna et il remarqua qu'elle regardait fixement son nouveau bureau. Soudain, le bruit du couvercle de son ordinateur, qu'il était en train de refermer, la fit sursauter, et elle tourna la tête dans sa direction.

Leurs regards se croisèrent.

Elle se raidit imperceptiblement et une lueur de panique dansa dans ses yeux. Aussitôt son instinct de Ranger se mit en alerte.

Elle était à la recherche de quelque chose, l'avertit la partie rationnelle de son cerveau. Il posa l'ordinateur sur la table basse à côté de son fauteuil. Si, d'un côté, son esprit logique tentait de le convaincre, sa sensibilité, de l'autre, entendait ignorer l'avertissement. Il voulait aller vers elle.

— Jenna, que se passe-t-il ?

Elle le regarda fixement et il se sentit troublé. Des émotions diverses se mêlaient en lui. Cependant, si elle essayait de lui cacher quelque chose, il fallait qu'il le sache.

Il l'attrapa par le bras.

Il devait absolument savoir.

— Je t'ai posé une question. Que fais-tu ici ?

— Je suis désolée. Je sais que je n'aurais pas dû venir ici sans ton accord, mais je n'ai pas pu résister.

Elle posa une main sur son torse et il sentit son cœur s'accélérer. Plissant les yeux, il l'observa, ne sachant plus que penser. Se faisait-il des illusions ou était-ce vraiment la culpabilité et la crainte qu'il avait lues dans ses yeux, et non un simple embarras ?

— Vraiment ?

— Oui. Ici, c'est un peu toi que je retrouve. La sculpture, tes souvenirs de Ranger et tes antiquités en disent long sur toi.

— Comme quoi, par exemple ?

— Que ton passé et tes ancêtres sont importants pour toi. Que tu attaches une grande importance à la famille.

Ça me trouble beaucoup, car en un sens, cela me rappelle ma grand-mère. Je me souviens combien elle tenait à toutes ces petites choses, qui représentaient l'unité familiale. Les anciennes photographies, comme les plus récentes. Tous ces objets dont elle choisissait de s'entourer, évoquant ses souvenirs…

Des larmes lui montèrent aux yeux, et en les voyant, Sam sentit sa méfiance s'évanouir et son cœur se serrer. Jamais il n'avait pu supporter les pleurs d'une femme. Son chagrin transparaissait tellement à travers ses yeux sombres qu'il en fut ému, et il se souvint de la veille, lorsqu'elle l'avait réconforté, alors que le souvenir de son père l'avait tant fait souffrir.

Soudain, il eut honte que ses doutes l'aient empêché de lui offrir tout de suite le réconfort dont elle avait manifestement besoin.

Il la serra dans ses bras.

— Jenna, je suis désolé. Je suis juste un peu énervé, parce que je suis bloqué là avec cette paperasse et toutes ces factures.

Elle leva les yeux vers lui.

— Pourquoi n'irions-nous pas faire un tour ? proposa-t-il.

— Il faut que je m'exerce.

— Un peu plus tard, alors.

Elle hocha la tête.

— Que dirais-tu de faire le tour du ranch à cheval ?

— Je suis complètement débutante dans ce domaine, tu sais.

— Dans ce cas, ce sera une expérience intéressante. Je crois que je vais me replonger dans ces colonnes de chiffres pour un moment, et une fois que tu auras terminé tes gammes, enfile tes bottes et retrouve-moi aux écuries, d'accord ?

— Ça marche.

— Tu es devenu dingue, ou quoi ?

Sam mit ses poings sur ses hanches et dévisagea son contremaître.

Tooter se redressait de toute sa taille, se raidissant avec indignation, tout en poursuivant sa diatribe.

— Depuis qu'elle est ici, elle n'a rien fait d'autre que te distraire de ton travail. Dawson est ici avec des juments qu'il veut nous proposer. Nous avons de nombreux jeunes poulains dont il faut s'occuper, d'autres juments, ainsi que des vaches prêtes à mettre bas. Il faut faire courir les yearlings, préparer les boxes, réparer les clôtures, et nous avons tout un troupeau à mener au pâturage. Avec tout ça, crois-tu vraiment qu'il te reste du temps pour t'amuser avec la jeune dame ?

— Tooter, rétorqua Sam d'une voix autoritaire. Il ne s'agit que d'une petite ballade à cheval pour commencer la journée. Je serai vite de retour et nous pourrons nous occuper de tout cela après le déjeuner. Tu auras toute mon attention.

Tooter retira son Stetson et en frappa sa cuisse.

— Ecoute mon garçon, je n'ai pas eu ton attention une seule seconde depuis que cette femelle a posé le pied ici, et tu le sais très bien.

— Tooter, je n'ai aucune intention de discuter avec toi. Sors Silver Shadow et Black Spot de leurs boxes et selle-les pour moi, s'il te plaît.

— Quoi ? Shadow et Black ? Ce sont tes préférés !

— Exact.

— Et tu vas laisser cette gamine monter l'un de tes favoris ?

— Tooter, fais ce que je te demande.

— Je n'arrive pas à croire que tu vas laisser cette femme monter l'un de tes chevaux personnels, qui plus est l'un de tes préférés. Tu n'as jamais agi ainsi avec Tiffany.

— Ce n'est pas le sujet, Tooter.

Il savait que le vieil homme n'était animé que de bonnes intentions, et qu'il ne voulait pas le voir souffrir à cause d'une autre femme, mais il se montrait si protecteur que cela en devenait irritant.

— Tiffany ne comprenait rien aux chevaux.

— Parce que celle-là, si ?

— Je ne sais pas très bien comment exprimer cela, mais Jenna est bien plus ouverte aux nouvelles expériences que ne l'était Tiffany. Tu sais très bien que mon ex-femme n'en avait absolument rien à faire des chevaux. Tout ce qui lui plaisait, c'était l'image du cow-boy.

— Eh bien, celle-ci t'a bien embobiné, si tu crois qu'elle s'intéresse à toi et à ce ranch. Elle ne va pas rester ici et jouer à l'épouse idéale pour un cow-boy comme toi. Crois-moi, elle a bien mieux à faire, et elle le sait.

Sam commença à s'éloigner, mais Tooter ne baissait pas les bras. Sam savait qu'il avait raison, mais cela lui faisait mal de l'entendre. Jenna ne resterait pas ici. Il le savait et ne se faisait aucune illusion. Tout ce qu'ils partageaient était une formidable complicité sexuelle. Rien de plus. Si elle semblait s'intéresser un peu plus à lui, c'était uniquement parce qu'il était très différent des hommes qu'elle rencontrait à New York. Il était tout à fait conscient du fait qu'elle était attirée par l'image du cow-boy, comme Tiffany l'avait été, mais Jenna le comprenait et semblait deviner ce qui était important pour lui ou pas. Tiffany ne s'intéressait qu'à elle-même.

Le moment d'intimité qu'il avait passé avec Jenna dans son bureau l'avait troublé. Il aurait voulu en partager d'autres. Néanmoins, il devrait mettre un frein à tout ceci, parce que Tooter avait fichtrement raison.

— Tu crois que je ne sais pas tout ça, lui dit-il. Je ne suis pas stupide !

— Alors, cesse de te conduire comme si tu l'étais, rétorqua Tooter en partant.

Avant qu'il ne tourne les talons, Sam avait eu le temps de remarquer la lueur de déception dans ses yeux.

C'était à cause d'elle qu'ils se disputaient, elle le savait. Jenna se tenait sur le seuil de la porte, tandis que des bribes de conversation lui parvenaient. Lorsqu'elle vit Sam arriver, elle l'évita, passa par derrière et suivit Tooter dans la grange.

Dans le bureau de Sam, elle avait dû mentir ; la honte et la culpabilité l'avaient envahie. Cependant, ce qu'elle lui avait dit n'était pas entièrement faux, et c'était bien là son problème. Il la fascinait, elle voulait connaître tout ce qui le concernait. A présent, elle avait besoin de sentir sa peau contre elle, lorsqu'elle s'endormait, et la première chose qu'elle avait envie de contempler au matin, c'étaient son visage encore endormi ainsi que ses mains puissantes.

A son réveil, ce matin, elle avait été contrariée de constater qu'il avait déjà quitté le lit. Elle avait aussitôt pensé qu'il avait dû s'habiller et aller accomplir ses corvées quotidiennes. Après tout, on était déjà lundi et c'était un jour de travail pour lui. La veille, il lui avait consacré sa journée entière. Elle ne pouvait pas s'attendre à ce qu'il en soit ainsi chaque jour.

C'est pourquoi elle s'était dirigée vers son bureau, avant que quiconque ne rôde dans les parages. Pas de chance. Sam s'y trouvait, assis dans l'ombre, son ordinateur portable sur les genoux. En le voyant, si beau, si sexy, l'idée de chercher le carnet intime de sa grand-mère avait été reléguée au second plan. Néanmoins, la lueur de suspicion qu'elle avait reconnue dans ses yeux l'avait alarmée pour des raisons qu'elle était incapable de définir. Des raisons auxquelles elle ne voulait même pas songer, tant cela impliquait de choses nouvelles... Pour elle, mais pour lui aussi.

Elle entendit Tooter maugréer à propos de leur dispute. Savoir qu'elle était la cause d'une discorde entre ces deux hommes qui s'estimaient tant, la peinait.

Tooter passait un licol autour d'un bel étalon gris, lorsqu'elle s'éclaircit la gorge.

Il la regarda, plissant les yeux.

Elle n'était pas du genre à tergiverser lorsqu'elle avait quelque chose à dire, et alla droit au but.

— Ce que vous dites à propos de moi n'est pas totalement vrai.

— Mais une partie l'est.

— Oui. Je ne vais pas rester ici. Ma vie est ailleurs. Tout ceci n'est que temporaire, Tooter. Bientôt, vous retrouverez votre Sam.

Tooter s'écarta du cheval.

— Vous croyez cela ? Vous croyez que Sam ne pense qu'au « temporaire », comme vous dites. Je connais cet homme, et vous êtes dangereuse pour lui, dit-il en pointant son doigt vers elle.

Jenna posa ses mains sur ses hanches.

— Je serai partie bientôt, alors, arrêtez de l'ennuyer comme ça ! Si vous avez envie de passer votre colère sur quelqu'un, alors faites-le sur moi ! Sam est un hôte agréable et un homme bon !

Lentement, Tooter la dévisagea.

— Peut-être bien que vous vous souciez un petit peu de lui. Mais pas assez !

— Ne me jugez pas.

Il se détourna d'elle et attrapa une selle.

— Faites en sorte que tout soit clair entre vous. Et qu'il ne souffre pas !

— Je vous promets de ne pas le blesser.

Elle fit mine de ne rien entendre, lorsqu'il marmonna entre ses dents.

— Ouais, ça j'en suis sûr, mais Sam est du genre têtu.

En sortant de la grange, elle tomba droit sur Sam.

— Justement, je te cherchais, dit-elle avant qu'il ne puisse spéculer sur la raison de sa présence près de Tooter et des chevaux.

Il la regarda et sourit.

— Ça tombe bien, moi aussi.

Soudain, ils entendirent le bruit des sabots tout proches.

— On dirait que Tooter a enfin sellé ces chevaux, dit Sam.

Elle le regarda et dut s'efforcer de retenir toute la tendresse qu'elle sentait monter en elle. Elle avait promis à Tooter qu'elle ne serait qu'une invitée de passage. Et elle tenait toujours ses promesses. Elle ne ferait pas de mal à Sam, elle ne le supporterait pas. Non, elle ne se comporterait pas comme sa mère. A chaque occasion possible, elle rappellerait à Sam qu'elle n'était ici que pour peu de temps, afin qu'ils puissent se quitter en excellents termes. Il n'y avait aucune raison que Sam découvre la véritable raison de sa présence ici. Elle récupérerait le carnet et les bijoux, puis disparaîtrait, sans qu'il ait vu quoi que ce soit.

— Je crois que tu ferais bien de m'apprendre à monter. Le temps passe vite, et d'ici la fin de la semaine, je serai partie.

Sam serra les dents. Il se força à sourire et hocha la tête. Il s'empara des rênes après que Tooter eut sorti les deux chevaux de la grange.

Sam regarda le vieil homme s'éloigner et Jenna discerna de la peine dans ses yeux. Il était évident qu'il aimait beaucoup son irascible compagnon, et elle espérait que ces deux-là pourraient bientôt redevenir les meilleurs amis du monde.

Sam se tourna vers elle et lui présenta les deux chevaux. Elle sentit de la fierté chez lui, tandis qu'il l'invitait à faire connaissance avec Black Spot, l'un des chevaux les plus doux du ranch.

— Laisse-lui le temps de faire ta connaissance, dit-il.

L'animal pencha son cou vers elle et la renifla.

— Caresse-le derrière les oreilles, il adore ça.

Elle obéit et Black Spot ferma les yeux, savourant visiblement la caresse. Puis, elle descendit sa main sur son chanfrein, jusqu'à son nez.

— Qu'il est doux ! s'exclama-t-elle.

Surpris par sa voix, le cheval fit un écart et la regarda nerveusement.

— Désolée, mon vieux, dit-elle un ton plus bas.

Ensuite Sam lui expliqua comment placer son pied dans l'étrier pour se hisser sur le dos du cheval et se mettre en selle. Cela avait l'air si simple… qu'elle dut s'y reprendre plusieurs fois.

Sans se décourager, elle essaya encore d'attraper la selle et de s'y asseoir, mais elle ne réussissait pas à prendre assez d'élan. Soudain, elle sentit une paire de mains familières l'attraper par la taille et la hisser en selle.

— J'aurais peut-être pu y arriver, si tu m'en avais laissé le temps, hasarda-t-elle.

— Ouais, mais je n'aurais pas pu rester très longtemps à regarder tes jolies petites fesses moulées dans ton jean, ou bien le mien serait devenu trop étroit.

Eh bien, ça au moins c'était direct ! Elle sourit. Sam ne se donnait même pas la peine de dissimuler le désir qu'il éprouvait pour elle.

Ils avancèrent au pas, en silence, durant un bon moment. Ils n'avaient tout simplement pas besoin de parler. Soudain, elle vit Sam se crisper, se lever de sa selle, et regarder au loin. Il mit son cheval au trot et traversa le pré.

Black Spot l'imita et elle se cramponna de son mieux à la selle. Lorsqu'elle arriva près de Sam, il avait déjà mis pied à terre et s'approchait d'une vache étendue sur le flanc.

Elle avait l'air de souffrir et Sam semblait inquiet.

— Est-ce que je peux t'aider ? proposa-t-elle.

— Oui, descends et apporte-moi la corde accrochée à ma selle.

Elle obtempéra, malgré une légère difficulté à descendre élégamment, et lui apporta la corde. Sam avait déjà ôté sa chemise et était en train d'aider l'animal.

— Elle est sur le point de mettre bas, mais le veau a l'air d'être coincé. Bon sang, Rose du Texas est l'une de mes préférées !

Jenna s'approcha de l'animal, se mit à genoux et lui caressa la tête.

— Pauvre Rose, Sam va t'aider, tout va s'arranger.

Sam la regarda et esquissa un sourire en l'entendant parler ainsi à la vache. Sa gorge se serra en voyant toute la douceur qui émanait d'elle et transparaissait sur son visage.

Si seulement elle pouvait le regarder aussi tendrement, juste une fois. Il aurait donné sa main droite, pour ça. Pourtant, il savait également qu'il pourrait bien devenir accro à un tel regard. Son regard s'attarda sur sa main, qui caressait Rose et il ne put s'empêcher de se souvenir de cette même main, lui caressant tout le corps, jusqu'à ce qu'il avait de plus intimes.

— Il y a un téléphone portable dans la sacoche de ma selle, ainsi que des serviettes. Pourrais-tu me les apporter ?

Elle lui tendit une des serviettes et il se nettoya les mains, puis s'empara de son téléphone et composa un numéro.

— Tooter, c'est Sam. Rose du Texas est en train d'essayer de mettre bas, mais le veau se présente mal. Appelle le vétérinaire. Je suis juste à l'est de la grange rouge. Amène-le ici dès qu'il arrive.

Il raccrocha et reporta toute son attention sur Rose.

— Est-ce ton père, ou bien Tooter, qui t'a appris à t'occuper des chevaux et des vaches ?

— Mon père était bien trop occupé à diriger le ranch pour m'enseigner quoi que ce soit. Tooter était bien plus patient, c'est lui qui m'a tout appris. Mais je n'ai pas vraiment le temps de discuter de cela, maintenant, Jenna. Il faut que nous aidions Rose, sinon, elle risque de mourir.

Il lui expliqua comment faire. Le veau étant déjà à moitié sorti, ils allaient tenter de l'expulser complètement, en s'aidant de la corde, en poussant et en tirant le plus fort possible.

Ils accordèrent leurs efforts et en quelques instants, le veau était né.

— Est-ce qu'il va bien ? demanda Jenna.

— Ça m'en a tout l'air.

Il regarda Rose du Texas et fronça les sourcils.

— Pas elle, cependant, observa-t-il, l'air inquiet. Elle aurait dû cesser de s'agiter, se mettre sur pied et lécher son petit.

— Sam, qu'est-ce qui ne va pas ?

— Elle devrait se lever, à présent, à moins que... oh bon sang !

Il se pencha de nouveau sur le ventre de l'animal.

— Des jumeaux ! Elle est en train de donner naissance à un autre veau !

Jenna était aux anges.

— Celui-ci n'est pas bloqué, dit Sam. Tout a l'air de bien se passer.

En quelques instants, le second veau vit le jour. Cependant, contrairement à son frère, il ne remuait pas.

— Bon sang ! C'est pas vrai ! cria Sam en se penchant sur lui et palpant sa tête, qui devenait dangereusement bleue.

Jenna se mordit la lèvre, sentant des larmes lui monter aux yeux.

— Oh Sam, non ! chuchota-t-elle.

Il se pencha vers le petit, s'attendant au pire. Contrairement à ce qui aurait pu se passer, Rose du Texas avait survécu et avait déjà donné naissance à un premier veau, superbe.

Soudain, contre toute attente, le faible animal inspira profondément et sembla reprendre vie. Sa mère s'approcha de lui et se mit à le lécher.

Sam se redressa, soulagé.

— Bravo, Rosy. Tu m'as donné deux superbes futurs taureaux.

Un peu plus tard, de retour dans la grange, Sam appela le vétérinaire pour lui annoncer la bonne nouvelle et ils convinrent ensemble d'un rendez-vous pour le lendemain, afin d'examiner les jeunes veaux.

Jenna entendait la fierté dans la voix de Sam. Elle se demandait si elle pourrait observer les animaux depuis le grenier à foin, aussi grimpa-t-elle à l'échelle, poussa la porte et entra. Un souffle d'air régnait dans le grenier et elle se tordit le cou pour voir la jeune mère et ses deux petits. Soudain, son pied glissa et elle se rattrapa au montant de la porte. Une poigne solide l'attrapa et elle se sentit serrée contre une poitrine musclée.

— Alors, tu comptais faire un petit vol plané ?

Sam l'enlaçait. Ils se regardèrent et aussitôt, s'embrassèrent passionnément.

— J'ai envie de toi, Sam.

Elle le regarda, amusée, constatant qu'il était troublé, et songea au journal de sa grand-mère et à la façon dont elle avait appris à satisfaire les hommes.

Elle s'approcha plus près de lui, ses mains se posant sur sa braguette, caressant son sexe à travers son jean.

— Jenna…, murmura-t-il.

L'air du grenier était chargé de leur désir.

— Retire ta chemise, ordonna-t-elle sans retirer ses mains.

Elle sentait son sexe durcir et frémir sous ses doigts. De sa main libre, elle ouvrit sa braguette et fit descendre son jean sur ses hanches.

Elle se serra contre lui et sentit le désir monter en elle. Oui, elle avait envie de lui, mais pas seulement pour quelques jours.

Elle le voulait pour toujours.

Pour la vie entière.

Impossible.

Sam frissonnait sous ses caresses et elle ressentit un impérieux besoin de l'embrasser

148

Sam se cambra et lui mordit gentiment les lèvres, à plusieurs reprises. Puis, jouant avec sa langue, il caressa l'intérieur de sa bouche. C'était si bon qu'elle se sentait déjà défaillir !

— Faisons-le ici, Sam, dans le foin.

Il sourit et la caressa.

Du feu. Partout où il la touchait, son corps semblait s'enflammer.

Sentir Sam derrière elle l'excitait au plus haut point. Elle aurait voulu qu'il la pénètre tout de suite. Son souffle dans sa nuque était chaud et la faisait frémir d'impatience. Elle sentit des volutes de chaleur dans son ventre lorsque ses doigts glissèrent de sa nuque jusqu'à ses épaules, puis descendirent lentement jusqu'au bas de son dos, le caressant langoureusement. Soudain, ses mains s'accrochèrent à son jean et saisirent vigoureusement ses hanches.

Elle gémit de plaisir en sentant son sexe dur se presser entre ses cuisses.

— Dans le foin ? Mais ce n'est pas très… civilisé, Jenna, dit-il d'une voix rauque.

— Peut-être, mais c'est extrêmement excitant, répondit-elle sur un ton provocant.

Etourdie, elle sentit ses seins se durcir, tandis qu'il lui retirait sa chemise et dégrafait son soutien-gorge.

Lorsqu'il prit enfin ses seins dans ses mains, les tétons en étaient déjà durcis. Sa bouche descendit jusqu'à son oreille dont il suça le lobe, et elle sentit des étincelles de plaisir la parcourir jusqu'au bout de ses seins. Elle se cambra contre lui.

— Dis-moi que cela t'excite, demanda-t-il d'une voix rauque.

Ces mots l'embrasèrent un peu plus.

Elle haleta et se cambra encore un peu plus contre lui, étirant son dos contre son torse. Lorsqu'il se mit à taquiner et pincer le bout de ses seins entre ses doigts, elle se sentait déjà au bord de l'orgasme. Il la prit alors par les épaules, et la fit se retourner face à lui. Dans ses yeux brillait une telle flamme de désir, qu'elle en fut profondément troublée. Elle passa une main dans ses cheveux, et il ferma les yeux, comme s'il était déjà au bord du plaisir ultime.

Sa bouche descendit sur ses lèvres qu'il captura, semblant lui demander de se rendre, de baisser sa garde, et de lui donner tout ce qu'elle pouvait lui offrir.

Mais elle capitulerait plus tard. Pour l'instant, il y avait quelque chose qu'elle tenait absolument à faire.

Le gémissement de Sam fut étouffé dans la bouche de Jenna lorsqu'elle laissa sa main descendre de son torse à son entrejambe, et que ses doigts se refermèrent sur son sexe.

— Jenna... oh mon Dieu...

Elle commença à le caresser, sa main allant de haut en bas sur son sexe dur et dressé. Aussitôt, il remua les hanches d'avant en arrière, conduisant son sexe dans sa main, le dos appuyé contre le mur, afin de garder l'équilibre. Sa poitrine se soulevait au rythme de sa respiration, qui devenait de plus en plus forte, jusqu'au râle, et de son autre main, elle lui caressait la joue, sans cesser de l'embrasser.

Puis sa bouche descendit le long de son corps.

Lorsque ses lèvres se posèrent sur le bout de son sexe, il gémit encore plus fort.

Elle saisit la base de son sexe et enroula sa langue autour, le léchant jusqu'à ce qu'elle l'entende jurer doucement. L'attrapant par les épaules, il la fit alors se redresser. Durant un bref instant, il la regarda droit dans les yeux et elle frémit en y découvrant l'intensité de son désir.

Durant un moment, il se contenta de la regarder. Puis il prit l'un de ses tétons entre ses dents, le lécha et le suça jusqu'à ce qu'elle se cambre et gémisse de plaisir.

Soudain, il voulut aussi la débarrasser de son jean. Il le détacha, baissa sa culotte, et fit glisser le tout le long de ses jambes, tandis qu'elle piétinait les vêtements pour mieux s'en extraire.

Les lèvres de Sam avaient repris possession de sa bouche, et la chaleur de ses baisers réduisait à néant le souvenir de tous les baisers qu'elle avait reçus dans sa vie. Lorsqu'il s'agissait de Sam, aucun homme ne tenait la comparaison.

Son baiser se fit plus profond, plus pressant, et il posa ses deux mains sur ses fesses, l'attirant tout contre lui. Elle gémit en sentant son sexe tendu contre elle. Du plus profond d'elle, lui vint une curieuse sensation : celle d'être totalement faite pour lui, comme s'ils étaient deux entités dont la rencontre avait été prévue depuis la nuit des temps.

Sam, lui, n'avait qu'une envie : se fondre en elle, le plus profondément possible, et s'y perdre. Pourquoi l'attirait-elle si fort ? Pourquoi réveillait-elle ainsi tous ses instincts les plus primaires ?

Plus il l'embrassait, plus il avait envie d'elle. Son désir s'intensifia tellement, qu'il finit par la pousser sur une pile de foin.

S'allongeant sur elle, il plaqua ses hanches contre les siennes, et se mit à l'embrasser plus doucement, plus tendrement. Ce faisant, il perçut comme une innocence en elle, comme si elle n'avait jamais été embrassée, ni connu cette passion qui semblait les dévorer.

Lorsque sa langue se faufila entre ses lèvres, elle s'offrit à lui totalement, soupirant d'aise.

Leurs deux langues s'emmêlèrent, se caressèrent, se taquinèrent.

— Maintenant, Sam.

Il posa ses deux mains de chaque côté d'elle et plongea profondément en elle. Le moment n'était plus à la retenue. Tout n'était plus que passion. Elle commença à jouir presque aussitôt. Il la sentit se contracter, gémir, haleter, respirer de plus en plus fort, et un sentiment d'immense fierté monta en lui. Il parvenait à la faire vibrer passionément sous lui, il aimait la regarder crier de plaisir. Son orgasme fut le moment le plus érotique qu'il ait jamais vécu.

Après son extase, il continua à aller et venir intensément en elle. Alors, elle noua ses jambes autour de ses hanches et ils ondulèrent au même rythme, en gémissant ensemble.

Puis soudain, l'orgasme explosa aussi en lui, et il se laissa aller à un plaisir inouï.

Quelques instants plus tard, frissonnant de satisfaction, il s'allongea sur le dos, et la serra contre lui.

Un curieux élan de possessivité s'emparait doucement de lui, sans qu'il s'y soit attendu. Depuis que Tiffany l'avait quitté, et qu'il avait juré de ne plus jamais retomber amoureux, il n'avait pensé qu'à son travail. Aujourd'hui, tout ce qui importait était de garder Jenna à ses côtés et de ne jamais la laisser partir. Mais cela ne dépendait pas uniquement de lui.

Il avait compris la leçon et savait parfaitement qu'il n'avait rien à offrir à Jenna qui fût compatible avec la vie qu'elle menait.

10.

Le bruit du tonnerre la réveilla en sursaut et elle bondit près de Sam. Elle s'assit, comprenant que tandis qu'ils s'étaient endormis dans le pré ensoleillé, après leur pique-nique, une tempête s'était levée.

Une journée était passée depuis que Rose du Texas avait donné naissance à ses deux veaux, et Sam avait travaillé diligemment avec Tooter afin de gagner du temps pour lui faire découvrir tout le domaine.

Il s'assit à côté d'elle, regardant le ciel.

— J'ai écouté la météo ce matin, et il était censé faire beau toute la journée, mais parfois, les tempêtes surgissent d'un seul coup et vous surprennent. Rassemblons les affaires, je vais chercher les chevaux.

Il s'éloigna tandis qu'elle ramassait les assiettes, les couverts, et rangeait le tout dans ses sacoches. Contre le vent, elle essaya de plier la couverture qui claqua entre ses mains elle l'enroula autour d'elle. Un éclair de lumière surgit dans le ciel et elle entendit le hennissement apeuré d'un cheval.

Elle parvenait enfin à plier la couverture quand elle vit Silver Shadow se cabrer. Avec horreur, elle se rendit compte que Sam se trouvait bien trop près du cheval.

Pourtant, il ne sembla pas hésiter une seconde et ne s'enfuit pas loin de l'animal. Au contraire, il essaya de le calmer. Jenna sentit une boule d'angoisse se former dans sa gorge. Un autre éclair de tonnerre craqua juste à côté de l'arbre auquel les chevaux étaient attachés. C'en était trop pour Silver Shadow, déjà effrayé. Il rua de nouveau, tirant sur ses rênes, qui se détachèrent. Ses sabots des pattes avant, dangereusement proches de la tête de Sam, frappèrent l'air avant de lui heurter la tempe. Il porta la main à sa tête et chancela en arrière, tandis que l'étalon s'enfuyait au grand galop.

Jenna laissa tomber la couverture et courut vers Sam, oscillant contre le vent. Elle l'entendit jurer en arrivant près de lui.

— Ce cheval n'a jamais apprécié les tempêtes.

— Sam, ta tête ! Est-ce que ça va ?

Elle posa ses doigts sur sa tempe, à l'endroit où le sabot avait frappé. Heureusement, il ne semblait pas l'avoir heurté trop fort.

— Ça va, il m'a juste un peu entaillé. Prends les sacoches, cria-t-il, essayant de couvrir le bruit du vent.

Elle lui obéit et revint près de lui. L'autre cheval commençait, lui aussi, à tirer sur ses rênes, et à hennir de peur.

D'un geste sec, Sam le libéra et grimpa sur son dos. Puis il prit les sacoches et les posa devant lui.

Ensuite, il se baissa vers elle et lui tendit la main. Elle levait les yeux vers lui : un mince filet de sang coulait de sa tempe sur sa joue et ses yeux bleus semblaient étinceler dans la tempête. Elle sentit son cœur battre à tout rompre, et attrapa sa main.

— Pousse sur tes jambes, et grimpe, lui cria-t-il, le vent tournoyant toujours autour d'eux.

Elle s'exécuta et un peu rudement, Sam réussit à l'installer devant lui.

Protégée par les bras de Sam, elle s'agrippa à la selle. Des gouttes de pluie lui tombèrent sur le visage, et elle sentit le vent froid dans son dos. Mais la chaleur de Sam tout contre elle la réconforta… et à sa grande surprise, l'excita.

— Nous aurions dû prendre la camionnette, grogna Sam.

— Où aurait été le plaisir, alors ? Faire le tour de ton ranch, confortablement installée sur la banquette ? Quel ennui !

Il se mit à rire.

— Bon sang, Jenna, tu me surprendras toujours. Il faut que nous trouvions un abri. Le ranch est beaucoup trop loin.

— Où allons-nous ?

— Il y a une cabane, pas très loin d'ici. Nous y serons en sécurité.

Il eut à peine le temps de terminer sa phrase, que le ciel devint encore plus sombre et qu'un déluge s'abattit sur eux. En un instant, Jenna fut trempée jusqu'aux os. La pluie était si violente, qu'elle pouvait à peine respirer !

Pendant une minute, elle eut presque peur et eut envie de se cramponner à lui. Mais c'était inutile. Sam tenait son bras autour de sa taille avec assurance, sans trop la serrer. Elle se sentait en sécurité. Le monde autour d'eux semblait se déchaîner mais Sam la protégeait, et elle n'avait rien à craindre.

Elle releva légèrement la tête, essayant de voir à travers la pluie battante. Tout ce qu'elle pouvait observer était une immense étendue brumeuse, qui semblait se poursuivre jusqu'à l'horizon, sans aucun refuge visible, du moins à ses yeux. Non, pour elle il n'y avait rien d'autre que cette pluie froide qui s'abattait sur eux et le vent tournoyant sans fin.

Black Spot avançait au pas, ses sabots s'enfonçant dans l'herbe boueuse.

Sam la serra un peu plus contre lui, inquiet à l'idée de ce qui se passerait s'il la lâchait et qu'elle tombait. Il s'en voulait de sa légèreté, d'avoir laissé la tempête les surprendre.

Il avait lâché les rênes sur l'encolure de Black Spot, sachant que son cheval trouverait d'instinct le refuge.

Soudain, Black Spot s'arrêta et frissonna. Sam plissa les yeux et regarda tout autour d'eux.

— Alors mon vieux, que se passe-t-il ? demanda-t-il en caressant l'encolure de l'animal.

Spot avait-il senti un danger quelconque ?

Le cheval se mit à trembler, tête dressée, oreilles rabattues. Soudain, il poussa un long hennissement et partit au trot. Si Sam ne l'avait pas tenue fermement, Jenna serait tombée à terre.

Soudain, Sam comprit qu'il n'y avait aucun danger. Au travers des trombes d'eau tombant du ciel, Black Spot avait humé l'odeur du foin et de l'avoine.

— Brave garçon, dit Sam en se penchant pour caresser la crinière du cheval.

Se sentant encouragé, Spot partit au galop.

— Nous sommes arrivés ? demanda Jenna.

— Presque ! cria Sam.

Puis il se concentra sur leur chemin, tandis que la cabane se profilait au loin.

Lorsqu'ils atteignirent la grange, la grêle commençait à tomber et Sam mit rapidement pied à terre. Il ouvrit les portes en grand, attrapa les rênes et tira Black Spot à l'intérieur. Jenna se baissa en passant sous le porche.

Sam s'approcha d'elle et la prit par la taille pour l'aider à descendre. Puis il lui tendit un trousseau de clés.

— Ouvre la porte et file à la salle de bains, il y a des vêtements secs dans le placard. Change-toi. Pendant ce temps, je m'occupe de Spot et je vais mettre le chauffage en marche.

Jenna saisit les clés et les mit dans sa poche. Elle prit les sacoches sur le dos de Black Spot, les posa sur son épaule, puis caressa l'animal derrière les oreilles, comme Sam le lui avait appris.

— Merci de nous avoir amenés ici, mon vieux.

Elle revint ensuite vers Sam et s'arrêta devant lui.

— Merci à toi aussi, dit-elle en essayant vainement de sourire.

— Viens un peu ici.

Il écarta les bras et après avoir posé les sacoches à terre, elle s'y réfugia, enfouissant son visage dans son cou. En soupirant, elle passa ses bras autour de sa taille. Il se baissa vers elle, l'embrassa doucement sur la tempe, puis caressa ses cheveux. Fermant les yeux, il la serra très fort contre lui, une vague d'émotions bloquant sa poitrine. Des émotions qu'il n'avait pas éprouvées depuis bien longtemps, et qui semblaient combler un vide infini en lui.

Il déposa un autre baiser sur sa tête, puis lui sourit.

— Je t'en prie. Tout le plaisir était pour moi.

Elle se sentit frissonner et passa ses bras autour de son cou. Alors, il se pencha et l'embrassa avec passion, essayant de la réconforter, de la rassurer.

Si seulement il pouvait la garder pour toujours avec lui, et prendre soin d'elle.

Au bout de quelques instants, il la relâcha.

— Maintenant, vas-y et change-toi ma belle.

Elle lui sourit, s'écarta légèrement de lui et lui caressa le visage, puis sortit.

Pendant quelques instants, il fut incapable de bouger. La caresse qu'elle venait de lui prodiguer sur la joue n'avait absolument rien de sexuel, pourtant elle l'avait troublé au plus profond de son être, bien plus que n'importe quelle nuit passée à faire l'amour n'aurait pu le faire.

Curieusement, il avait l'étrange impression de voir enfin une petite lumière au fond d'un tunnel.

Il venait de recevoir quelque chose de la part de Jenna, à laquelle il ne s'attendait pas.

Un cadeau extraordinaire, qui le troublait plus que tout.

Il lui fallut vingt bonnes minutes pour s'occuper de Black Spot : lui retirer sa selle et sa bride, lui apporter de l'eau, à manger et du foin. Puis il sortit de la grange et se dirigea vers le petit local où se trouvaient les compteurs, et mit le chauffage en marche. Entre-temps, d'énormes grêlons s'étaient mis à tomber et rebondissaient sur le toit avec fracas.

La cabane avait été aménagée avec suffisamment de confort, et il fut accueilli par un beau feu de cheminée. Un plat chauffait déjà dans la cuisine, et Jenna était en train d'essorer ses cheveux dans l'évier à côté. Il resta un instant planté devant la porte, à la regarder. Un autre de ses *a priori* à son encontre venait de s'évanouir. Visiblement, elle n'avait eu aucun mal à allumer le feu et à comprendre ce qui lui ferait plaisir. Il vit qu'elle frissonnait encore et se rendit compte qu'elle avait fait passer son propre confort après le sien, s'occupant tout d'abord de leur préparer quelque chose à manger. Tiffany, elle, se serait déjà changée, aurait enfilé des vêtements secs, tout en se plaignant du froid. Ensuite, elle aurait attendu qu'il s'occupe du feu et fasse la cuisine.

Songer à elle l'attrista.

— Je t'avais dit de changer de vêtements.

Son ton la fit sursauter.

— J'ai pensé qu'il était plus important d'allumer d'abord le feu et de préparer à manger.

Voilà, elle tenait enfin l'occasion de se disputer avec lui et de le défier.

Leur enlacement, leur baiser, la tendresse échangée dans la grange, l'avaient effrayée et tout ce qu'elle souhaitait à présent, était prendre des distances avec lui.

Bon sang, elle était ici pour récupérer ce sacré journal intime, qui était à présent comme un boulet accroché à son pied. Il lui était de plus en plus difficile de se rappeler les véritables raisons qui l'avaient amenée au Texas. Chaque fois que Sam se rapprochait davantage d'elle, elle avait l'impression de perdre complètement les pédales.

Car Sam était un homme aux facettes multiples. Il était superbe, mais aussi intéressant, et elle avait envie, non, elle *mourait* d'envie de le connaître encore mieux. Elle avait honte d'elle : elle avait promis à sa grand-mère de récupérer son journal. Au lieu de cela, elle avait couché avec Sam et profité de sa compagnie des jours durant. Néanmoins, sa culpabilité était entamée par ses deux tentatives pour récupérer le carnet, et par le fait que Sam, bien malgré lui, l'en avait empêchée.

Elle se tourna vers l'évier et tendit la main vers le robinet, mais Sam retint son mouvement.

— Ne touche pas à ça, et reste loin de tous les points d'eau. Les tuyaux peuvent conduire l'électricité, et à cause de l'orage, l'air en est chargé.

— J'ai besoin d'eau pour faire du café.

— Non, ce dont tu as besoin, c'est de changer de vêtements.

Elle posa les poings sur ses hanches.

— Très bien, je vais le faire. Mais ensuite, j'aurai besoin
d'une bonne tasse de café bien chaud.

Il soupira et elle dut se retenir de ne pas le toucher.
S'approchant d'un placard, il l'ouvrit. A l'intérieur se
trouvaient des quantités de bouteilles d'eau.

— Eh bien ! Tu es vraiment organisé, remarqua-t-elle.
Il y a de quoi tenir un siège, ici. J'ai déjà trouvé des piles,
une radio, des bougies, une lampe torche, des boîtes de
conserve, du bois pour le chauffage...

— Oui, et tu as même réussi à allumer le feu.

— Ce n'était pas difficile. J'ai une cheminée dans mon
appartement à New York.

Elle prit l'une des bouteilles et commença à préparer
le café.

— J'ai également trouvé une trousse de premier secours.
Nous devrions nous occuper de ta blessure.

Elle ouvrit un tiroir et en sortit la trousse, qu'elle posa
sur la table. Sam s'approcha d'elle.

— D'abord, va te changer. Ensuite, nous jouerons au
docteur.

Avant qu'elle n'ait pu protester, il la saisit par le bras et
l'entraîna dans la salle de bains. Là, il la lâcha et se mit à
fouiller dans le placard.

— Enlève tes vêtements, Jenna.

Elle essaya de lui obéir mais ses doigts étaient comme
engourdis, douloureux, et elle ne réussissait même pas à
déboutonner sa chemise. Sam se retourna vers elle, les bras
chargés de vêtements.

— Voilà, dit-il, retirant déjà sa veste et son jean, aussi
trempés que les siens.

160

Qui sait pourquoi, lui ne tremblait pas. Retirant son T-shirt, il tendit les mains vers sa chemise.

— Laisse, je vais le faire.

— Non, protesta-t-elle. Non, ça va aller.

Mais ses doigts glissèrent sur les boutons. Sam écarta ses mains et lui jeta un regard légèrement moqueur.

— Chérie, tu es têtue. Laisse-moi t'aider. Après tout, c'est moi qui nous ai mis dans cette situation.

Incapable de regarder Sam dans les yeux, alors qu'il était si proche d'elle, elle baissa les paupières. Il lui retira sa chemise et défit son jean. Elle sentit le frôlement de ses doigts sur ses seins. Si seulement il la touchait de façon plus érotique. En fait, elle n'appréciait pas qu'il se soucie autant d'elle, qu'il s'occupe aussi gentiment d'elle. D'autant plus que le jeu était truqué, puisqu'il ignorait toujours la véritable raison de sa présence chez lui.

Non, elle ne voulait pas de sa gentillesse, encore moins de sa tendresse. Ce qu'elle voulait, c'était qu'il se comporte comme ses autres amants, et qu'il limite leur relation au sexe.

Il lui tendit quelques vêtements qu'elle enfila, pendant qu'il se changeait également.

Lorsqu'ils furent bien au sec, ils retournèrent dans la cuisine où ils savourèrent une bonne tasse de café chaud.

Puis elle s'installa sur le canapé du salon, devant le feu, avec la trousse de premier secours.

Avant qu'il ne pût protester, elle prit son menton dans ses mains et l'obligea à tourner la tête afin d'examiner sa blessure qui n'était guère profonde. Mais c'était tout de même une belle entaille qui avait saigné et Jenna la nettoya doucement. Soudain elle s'aperçut que Sam la regardait avec intensité. Elle aurait pu se noyer dans ses yeux, tant il la fascinait. Aussitôt elle sut que, dès qu'elle aurait mis la main sur le journal de sa grand-mère, elle partirait.

Prenant de la gaze et du sparadrap dans la trousse, elle banda la blessure.

— Est-ce que tu vas me donner un bisou pour que je guérisse plus vite ? la taquina-t-il.

Elle s'approcha un peu plus près de lui et déposa un léger baiser sur sa tempe.

— Voilà, ça va mieux ?

Sam caressa son bras du bout des doigts, et de nouveau elle eut cette curieuse sensation de n'avoir jamais connu aucun autre homme. Il était le seul. Le seul qui la mettait dans un tel état d'excitation physique, mais qui la troublait aussi émotionnellement.

La pluie continuait de tomber sur le toit en un bruit rassurant, comme les battements de son cœur, qui cognait si fort dans sa poitrine. Elle était certaine que Sam l'entendait.

Les bûches crépitèrent dans la cheminée. Le vent s'accrut et souffla contre les murs de leur abri, et elle entendit le goutte à goutte de l'évier. Autour d'eux, l'air semblait presque vivant.

Doucement, Sam commença à embrasser son visage et effleura sa lèvre inférieure de son pouce. Il était si près qu'elle pouvait observer la longueur de ses cils, tandis qu'il se tenait les yeux fermés devant elle.

Elle leva la main vers lui, caressa ses cheveux et l'entendit soupirer. Au plus profond d'elle, elle sentit fondre quelque chose, enfoui depuis si longtemps qu'elle n'avait même plus conscience de son existence. Sam ouvrit les yeux et elle se perdit dans la profondeur de son regard.

Il l'enveloppa de ses bras musclés et elle huma son parfum qui pénétra jusqu'au fond de son cœur. Sa bouche s'élargit en un sourire charmeur. Il embrassa le lobe de son oreille et murmura son nom.

Son désir brillait intensément dans ses yeux et elle savait qu'il était le reflet de celui qui brillait au fond de son âme à elle. Cependant, elle y lisait aussi de la méfiance, un instinct de protection et une certaine distance, mais elle savait que dans un instant, tout cela s'effacerait.

— Jenna…

Sa voix était rauque. Elle trembla lorsqu'il l'embrassa, ressentant ses aspirations secrètes. La solitude qui se lisait dans ses yeux semblait s'éloigner, comme une ombre du passé. Elle écouta le rythme irrégulier de sa respiration, sentit sa vulnérabilité et comprit qu'il gardait de plus en plus difficilement le contrôle de ses émotions.

Leurs deux cœurs s'étaient trouvés et il était inévitable qu'un tel moment arrive. Elle avait fait tomber ses défenses et avait regardé jusqu'au plus profond de lui. Et tous deux s'étaient rencontrés en un accord intime et vibrant, jouant les accords de la passion.

Sans prononcer un mot, elle avait demandé et il avait offert, et intuitivement, elle l'avait conduit à ce qui pouvait bien causer leur perte.

Pourtant, même si ce n'était guère prudent de sa part, c'était certainement ce qu'elle recherchait depuis toujours !

Il la caressa. Ses mains étaient avides, comme son corps, et elle sentit la même passion la gagner.

— Devant le feu, Sam.

Il se retourna pour regarder l'âtre et lorsqu'il posa de nouveau son regard sur elle, elle y vit briller une lueur de défi.

Il prit quelques coussins sur le canapé et les disposa à terre. Puis il fit de même avec la couverture qui était posée sur le dossier du canapé.

Ensuite, il la souleva dans ses bras, et la posa délicatement sur leur couche devant le feu.

Tout au fond de son cœur, durant ses pires journées de solitude, elle avait eu faim de chaleur et de lumière. Cependant, jamais elle n'aurait imaginé pouvoir être comblée ainsi, grâce à Sam. Jusqu'à leur rencontre, rien n'avait eu un tel goût de bonheur.

Cette nuit-là, elle découvrit ce qu'il lui en coûtait de donner ce qu'elle n'avait encore jamais offert à personne. Leurs deux corps emmêlés devant le feu, elle s'émerveilla de la complicité de leurs cœurs.

Impatient, Sam se déshabilla rapidement, puis lui retira ses vêtements.

Il prit l'un après l'autre ses tétons dans sa bouche et les lécha, les caressa et les suça jusqu'à ce qu'elle griffe son dos, tant elle était excitée.

Sa bouche brûlante sur sa peau semblait courir partout. Sur ses seins, sur son ventre…

Il ne lui laissait aucun répit. Aucun homme ne l'avait jamais amenée à un tel état d'excitation, et jamais elle ne s'était sentie aussi vivante.

Jamais aucun homme n'avait chuchoté son nom, comme si sa vie en dépendait.

Elle sentit son membre dur et gonflé entre ses cuisses et elle s'ouvrit pour lui, écartant ses cuisses brûlantes afin de lui offrir son sexe, moite de désir. Elle l'entendit gémir lorsque l'extrémité de son sexe effleura son intimité.

Avant de la pénétrer, il reprit ses baisers et l'embrassa sur tout le corps. Elle se cambrait contre lui, folle de plaisir. Des vagues de désir montaient en elle, la submergeaient. Soudain, elle se sentit au bord de l'orgasme et se laissa entraîner. Un véritable ouragan se déchaîna en elle, et tout son corps se contracta, tandis qu'un océan de plaisir déferlait en elle, vague après vague, la laissant haletante.

Lorsqu'elle ouvrit les yeux, elle lut de la fierté dans son regard. Sam semblait avoir atteint les limites de son contrôle.

Elle tendit le bras, et prit son sexe dans sa main, puis le guida en elle.

L'agrippant par les cheveux, elle le serra tout contre elle et tendit sa bouche, affamée.

Ils s'embrassèrent passionnément.

Sam la prit par les hanches et accentua son rythme, plongeant en elle de plus belle, allant et venant dans son sexe si chaud et mouillé de plaisir.

Il semblait atteindre en elle des profondeurs insondables, que le seul désir n'aurait jamais pu atteindre. Tout ce qu'elle était capable de faire, était de l'entraîner encore plus loin avec elle.

Elle sentait son sexe grandir encore à l'intérieur d'elle-même. Soudain, comme une tempête brûlante, un feu intense déversa ses flammes. Plus rien n'existait. Elle cria son plaisir et Sam la suivit dans cet ouragan qui les conduisit bien plus loin qu'ils n'auraient jamais osé l'imaginer.

Haletants, ils restèrent un moment enlacés. Leurs deux fronts se touchèrent et ils se sourirent l'un à l'autre. Jenna ne voulait plus le lâcher. Elle le tenait serré, appréciant de sentir tout le poids de son corps contre elle.

Après un moment, Sam roula sur le côté, et écarta le bras pour qu'elle vienne se nicher contre son épaule.

— Je crois que nous devrions aller au lit, à moins que tu ne veuilles dormir ici.

— Oui, c'est ce que je veux.

— Dans ce cas, je vais aller chercher d'autres couvertures.

Après une telle étreinte, Jenna songea que, de sa vie, elle n'aurait plus jamais froid.

Néanmoins, la nuit serait fraîche, même en dormant devant le feu. Elle souhaita qu'une couverture magique puisse les protéger du monde, de l'aube qui allait bientôt naître, et de la réalité qu'il leur faudrait bien affronter.

— Bonne idée, murmura-t-elle en voyant Sam revenir avec des oreillers, d'autres couvertures et même un édredon.

Ils installèrent le tout, puis se blottirent dans les bras l'un de l'autre, bien au chaud.

Plus rien n'existait que leur complicité.

Peu importaient le vent et la pluie dehors.

Peu importait le lendemain.

Seul comptait ce pur moment de félicité partagée.

Seuls comptaient leurs deux cœurs, qui battaient à l'unisson.

Le reste n'avait plus d'importance, et il serait bien temps de s'en occuper plus tard, songea Jenna en fermant les yeux, lovée contre la poitrine de Sam, ses doigts entremêlés aux siens.

Dans l'immédiat, elle ne souhaitait rien d'autre que de savourer ce rare moment d'intense passion.

11.

Du fond de la salle de classe, Sam regarda Jenna diriger son cours. Les étudiants lui posaient de nombreuses questions et elle répondait à chacun avec patience et assurance. Parfois, elle utilisait une terminologie technique, qu'il ne comprenait pas.

Ils avaient passé la nuit dans leur refuge et avaient regagné le ranch dès les premières lueurs de l'aube. La façon dont elle avait accueilli la tempête et leur installation de fortune l'avait surpris. Elle avait également appris très vite à monter, comme si elle était née sur le dos d'un cheval, insistant même pour s'occuper seule des soins de Black Spot. Il sourit intérieurement. Force était de constater qu'elle avait fait un sacré bon boulot !

Elle avait fait de même, en s'introduisant dans son cœur. Il ne pouvait pas le nier. Elle était ancrée en lui, et il lui faudrait du temps pour l'oublier. Oui, elle avait brisé toutes ses défenses et avait gagné son cœur.

A présent, il ne pouvait plus imaginer dormir une seule nuit sans elle, ne plus la voir passer la porte d'entrée, ou ne plus voir son doux sourire en face de lui, lorsqu'ils prenaient leurs repas.

Pourtant, elle lui avait bien fait comprendre qu'elle ne voulait rien d'autre qu'une liaison temporaire.

C'était ce qu'il avait souhaité, lui aussi, au début, mais à présent, il voulait davantage. Il faudrait pourtant bien qu'il accepte le fait qu'il en allait différemment pour elle. On était mercredi, et samedi elle serait partie. Elle avait déjà donné deux concerts, et jouerait une dernière fois vendredi soir.

Il se leva, quitta la pièce, partit faire quelques courses et revint la chercher.

C'était mieux ainsi, songea-t-il. Peut-être qu'elle était différente de Tiffany, mais elle n'était pas d'ici, et son style de vie ne correspondait pas au sien.

Il aurait été complètement stupide de croire le contraire.

Jenna dit au revoir au dernier de ses étudiants et quitta la salle de classe. Apparemment, Sam n'était pas là. Elle se dirigea vers la sortie et regarda dehors, mais elle ne voyait son 4x4 garé nulle part. Il avait dû être retenu. Elle retourna à l'intérieur et s'assit sur un banc dans l'entrée. Ouvrant sa sacoche, elle remarqua la couverture rouge du journal de sa grand-mère.

Elle l'ouvrit et se remit à lire.

Le 30 janvier 1958

Oahu est une île magnifique et je suis contente de pouvoir m'y reposer après mes concerts à Hawaii. C'est le maire d'Oahu qui m'a invitée ici. Sa fille, Kalei, est charmante avec moi, et m'a demandé si j'aimerais apprendre le hula. Je lui ai dit que cette danse me semblait très érotique et que, oui, cela me ferait plaisir d'en apprendre les pas.

Elle m'a alors offert un paréo de couleurs vives, une jupe en raphia confectionnée par ses soins, et un collier porte-bonheur.

Une nuit, alors que je m'entraînais au hula depuis une semaine, le maire donna une soirée.

De nombreux marins étaient présents et Kalei me demanda si je souhaitais danser. Je proposai de chanter également, et appris rapidement un air hawaïen, dont les paroles évoquaient un amour interdit.

Ma tenue était très légère, un simple paréo aux couleurs chatoyantes, et la jupe en raphia.

Lorsque les tambours commencèrent à jouer, j'eus l'impression que leur son résonnait au plus profond de moi, jusque dans mon sexe. Je m'avançai sur scène et me mis à danser. Un officier était assis au premier rang et ne me quittait pas des yeux.

Je me lançai dans une danse folklorique, nommée Kahiko, enracinée dans la tradition, qui évoque la survie, les lois des dieux et le « kapus », mot qui signifie tabou. Dès que je commençai à danser, je sentis une énergie incroyable parcourir mon corps. Mes mouvements semblaient chargés d'une force sensuelle, quasi sexuelle, et étaient un hommage aux forces de la nature, aux dieux, qui protègent et sauvent les êtres, selon leur bon vouloir.

Je dansai pour cet officier et chantai pour lui. Il semblait très excité.

Plus tard, après le spectacle, j'allai me promener sur la plage et l'homme me suivit. Il me dit qu'il s'appelait Daniel. Il était très beau. Je ne peux pas dire pourquoi, mais j'avais l'impression que je ne pourrais pas le séduire ailleurs qu'ici, sur cette plage, même si je l'avais voulu.

Il était très doux, très gentil, et m'apprit qu'il était en congé pour un mois. Il me parla de sa solitude et de sa passion pour la mer. Je passai toute la nuit à l'écouter parler et me raconter sa vie. J'étais submergée par l'émotion. Il était si inhabituel qu'un homme ne cherche qu'à discuter avec une femme, sans essayer d'obtenir autre chose d'elle.

Je l'ai embrassé tendrement sur les lèvres, ne cherchant nullement à l'exciter, mais à lui montrer que j'étais en harmonie avec lui. Sa bouche était douce, et je ne me lassais pas de l'embrasser.

C'est la nuit la plus mémorable que j'ai jamais vécue.

Le 28 février 1958

Cela fait quelque temps déjà que j'ai négligé d'écrire mon journal, mais je viens de passer quatre semaines formidables avec Daniel.

La première fois où nous avons fait l'amour a été magique. C'était sur une plage déserte, sans rien d'autre qu'une couverture sous nos deux corps enfiévrés. Sentir ses lèvres chaudes sur mes seins me procurait un sentiment délicieux.

Mes mains caressaient ses muscles puissants. Lorsque je sentis son érection entre mes cuisses, je gémis sous sa bouche.

Je le sentis trembler, et il m'implora.

« S'il te plaît », dit-il d'une voix rauque.

La passion contenue dans son baiser sembla alors vibrer dans chaque cellule de son corps et y résonner.

Je pressai mes seins contre son torse nu. Ses lèvres descendirent dans mon cou et je sentis l'humidité de sa langue qui glissait sur ma peau. Ses mains caressaient mon ventre, et je cessai de respirer lorsqu'elles remontèrent sur mes seins et que, de ses pouces, il caressa mes tétons durcis. Sa bouche se posa sur eux et je criai de plaisir.

Lorsqu'il me pénétra, j'eus un orgasme puissant. Il allait et venait en moi avec une passion non contenue.

Jamais, auparavant, je n'avais ressenti un tel abandon pour un homme.

Jamais, je n'avais eu autant envie d'arrêter la course du temps, et de fixer ce moment pour l'éternité.

Après notre étreinte, je me reposai entre ses bras, comblée, et bien déterminée à …

— J'espère que tu ne m'as pas attendu trop longtemps.

La voix de Sam la surprit. Elle sursauta et referma aussitôt le carnet.

— Je me suis laissé entraîner dans une discussion sur l'alimentation du bétail, et j'ai perdu pas mal de temps.

Les mains tremblantes, elle rangea le carnet dans sa sacoche et se leva. Attrapant Sam par le cou, elle posa un baiser sur ses lèvres. Dieu qu'elle aimait l'embrasser, sentir la douceur de sa bouche sur la sienne, humer son parfum, sentir son corps tout contre elle.

Mais tout cela était impossible. Elle ne pouvait pas rester ici, c'était inenvisageable. Ce n'était pas son univers, et elle ne pouvait renoncer à la musique.

Oui, c'était impossible.

Pas plus qu'elle ne pouvait supposer de le voir suivre le même chemin que son père, qui était toujours resté dans l'ombre de sa mère. Elle ne détruirait pas Sam, ne profiterait pas de lui. Simplement, elle ne pouvait pas lui donner ce qu'il désirait, ni un foyer, ni son cœur, et encore moins un enfant.

Lorsqu'elle mit fin à son baiser, il la regarda longuement, semblant essayer de déchiffrer un message. Elle voulut éviter son regard et détourna les yeux. Comme elle se sentait coupable ! Ce n'était pas pour cela qu'elle était ici, pas pour partager quoi que ce fût avec lui. Non,

171

elle était venue au Texas pour retrouver ce fichu carnet et n'avait déjà que trop tardé à le récupérer.

Au diable la recherche de la passion parfaite de sa grand-mère. Le dernier passage qu'elle avait lu était cependant très différent. On y sentait poindre des émotions. Cette rencontre avec le jeune officier l'avait touchée plus qu'elle ne voulait l'admettre, parce qu'il lui semblait soudain que sa quête dépassait largement la seule passion.

Contrairement aux rencontres de sa grand-mère, la relation de Jenna avec Sam n'avait rien de désinvolte. C'était ce qu'elle s'était efforcée de croire, mais c'était faux.

Peu importait ce qu'elle avait cru. Au bout du compte, elle savait pertinemment qu'entre eux deux, il ne s'agissait pas simplement de passer du bon temps et de se donner du plaisir.

C'était bien plus que cela.

Il la prit par le bras et la força à le regarder.

— Bon sang, Jenna, je devrais être en retard plus souvent.

Elle se sentit rougir.

Si seulement elle pouvait se contenter d'une simple amitié pimentée de sexe. Mais elle voulait plus.

Tellement plus !

Inspirant profondément, elle lui passa les bras autour de la taille.

— Ne sois pas si présomptueux, Winchester.

Ils quittèrent l'académie et sortirent dans le soleil. Sam lui tint la porte ouverte et elle grimpa dans le 4x4.

— Hm, bien mieux qu'à ton arrivée, fit-il remarquer, malicieux.

Il se dirigea vers le centre et, pour la première fois, Jenna regarda vraiment la ville. Elle fit un signe de la main à Lurlene, lorsqu'ils passèrent devant sa boutique.

Savannah était riche de son histoire et il y régnait une bonne entente entre les habitants. Alors qu'ils arrivaient à un coin de rue, un bâtiment, signalé par une énorme pancarte et un néon, attira son attention.

— Sam, qu'est-ce que c'est ? Un bar ?

— Oui, si on veut. En fait, c'est à la fois un bar et un night-club. On y joue de la musique country.

— Est-ce que l'on peut y danser ?

— Bien sûr, m'dame. Toutes les meilleures danses du Texas.

— Tu m'y emmèneras ?

— Ce n'est pas vraiment le genre d'endroit que tu es habituée à fréquenter.

Etait-ce une critique qu'elle percevait dans sa voix ? De la déception ? Elle aurait peut-être dû en rester là, mais elle se sentait blessée.

— Eh bien, j'aimerais y aller ce soir, à moins que tu ne sois trop occupé.

— Non, mais si tu peux attendre jusqu'à samedi, ce serait bien mieux. C'est le meilleur jour pour y aller se distraire.

Il détourna un instant son regard de la route et le planta dans le sien.

— Samedi soir, je serai partie.

— C'est vrai. Tu ne seras plus là. J'avais oublié.

— Tu es en colère contre moi ?

Elle vit diverses émotions affleurer sur son visage.

— Pourquoi le serais-je ?

— Je t'ai dit depuis le début que je ne resterais que deux semaines. J'ai une tournée à honorer. Dès lundi, je dois être à Rome. D'ailleurs, j'ai déjà bien assez abusé de ton temps.

Il serra les dents et se concentra sur la route.

— Au moins, Tooter sera content.

— J'en suis sûre.

— Il faut que je m'arrête faire une course, j'ai besoin de suppléments nutritionnels pour les animaux. Ça ne te dérange pas ?

— Non, je t'en prie.

Le parking où il se dirigea était bondé de camions. Certains hommes chargeaient leur cargaison. D'autres, debout à côté de leurs engins, discutaient entre eux. Il se gara, elle ouvrit sa portière puis sauta à terre, sur le gravier. Visiblement, tout le monde connaissait Sam, ici, et chacun le salua. Il répondit à tous, souriant, serrant des mains, échangeant quelques propos sur le bétail de l'un et les préoccupations de l'autre. Durant tout ce temps, il la tenait à côté de lui, si bien qu'elle se retrouva, elle aussi, entourée par ce petit groupe d'hommes et de femmes qui semblaient tant apprécier Sam.

Chacun avait véritablement l'air heureux de le voir. Les hommes lui témoignaient du respect, et les femmes semblaient fières de lui, d'une fierté quasi-maternelle pour l'homme que l'on connaît depuis son enfance, et qui a bien grandi.

A les regarder tous ainsi, elle sut que Sam appartenait à cette ville. Il faisait partie du paysage, était enraciné dans cette communauté, pour laquelle il déployait tant d'efforts.

Contrairement à lui, elle n'était que de passage. A présent que sa grand-mère était décédée, elle n'avait plus aucune attache à New York — seulement son agent, qui était aussi, heureusement, une amie. Néanmoins, jamais elle n'avait eu le temps de développer une réelle amitié avec quiconque, comme celle qui régnait entre tous ces gens.

174

Lorsqu'elle rentrerait chez elle, elle ne trouverait pas un voisinage aussi amical. D'ailleurs, elle se demanda qui remarquerait qu'elle avait regagné son appartement.

Soudain, elle sentit son cœur se serrer et eut envie de se sentir aussi intégrée que Sam l'était. Elle en mourait d'envie. Il avait passé son bras autour de ses épaules et elle remarquait bien les regards curieux et les coups d'œil interrogateurs.

Néanmoins, même si elle l'enviait, ce genre de relation, si forte, l'effrayait aussi.

La musique avait toujours été son refuge, et jamais elle ne pourrait s'impliquer autant dans quoi que ce soit d'autre. La musique était toute sa vie, et elle refusait de s'engager dans un autre lien aussi fort.

Peu importait avec quoi.

Ou avec qui.

Les liens représentaient un véritable danger, qui la forceraient à exposer son cœur, et qui l'obligeraient à protéger celui de Sam.

Non, elle ne voulait pas de tout ça. Elle ne voulait pas qu'il l'aime.

Tout était finalement une question de choix. Sa grand-mère avait choisi l'amour, et sa mère, la musique, négligeant même sa propre fille pour s'adonner à sa passion. Et cela l'avait blessée, elle, bien plus qu'elle n'avait jamais laissé sa mère le voir. Plus personne ne la blesserait. Elle serait forte, intouchable, et certainement pas responsable du bonheur d'autrui.

Elle se dégagea du bras de Sam et sourit.

— Je déteste jouer les enquiquineuses, mais crois-tu que tu en as encore pour longtemps ? Il faut que je m'exerce.

Sam hocha la tête.

— Tu as raison. Moi aussi, j'ai du travail.

Il toucha le bord de son chapeau pour saluer la petite assemblée et pénétra dans le magasin. Pendant ce temps, elle retourna au 4x4, troublée par les sentiments qu'elle éprouvait pour lui.

A l'instant où elle ouvrit la portière, Sam sortait de la boutique, un sac à la main. Il lui sourit. Alors qu'il la rejoignait, un homme l'interpella et il se retourna pour lui parler.

— Salut Sam, justement je voulais t'appeler, dit l'homme en lui serrant la main. Je voulais venir voir tes chevaux. Millie a besoin d'une bonne monture.

— Je l'ai vue, l'autre jour, gagner le championnat junior. Félicitations, Mike.

— Merci, Sam.

Les deux hommes discutèrent de chevaux, de bétail, de tournois et de rodéo.

— Tes chevaux sont vraiment les meilleurs, Sam. Ton père serait fier de toi.

A ces paroles, Jenna vit passer dans le regard de Sam, quelque chose qu'elle n'y avait encore jamais remarqué. Il y avait de la satisfaction, certes, mais aussi une ombre de tristesse, qu'il dissimula en baissant les yeux.

— Des circuits ? demanda-t-elle en s'approchant. Des rodéos ?

— Des compétitions, jeune dame. Dis-moi Sam, la jeune demoiselle est-elle complètement ignorante de notre art ?

— Non, elle s'y connaît plutôt bien pour une débutante. Au fait, désolé pour les présentations, voici Jenna Sinclair.

— Ah ! La violoniste. J'ai entendu dire que vous séjourniez chez Sam.

— Oui. J'ignore tout du marché du bétail et des rodéos, j'espère que vous ne m'en tiendrez pas rigueur.

— Pensez-vous ! répondit-il en lui serrant la main. A chacun son boulot, comme je dis toujours. Et d'ailleurs, j'ai entendu dire que vous jouez divinement bien.

— Dans ce cas, peut-être viendrez-vous assister à mon concert, demain soir ? La recette des billets sera offerte au comité de charité.

— C'est pour une bonne cause. Nous serons tous là.

Mike et Sam discutèrent encore quelques instants et fixèrent un rendez-vous pour qu'il vienne choisir un nouveau cheval pour sa fille. Puis il partit.

Sam et elle grimpèrent dans le 4x4 et prirent la route pour retourner au ranch.

— Sam…

Les épaules crispées, il se tourna vers elle, et elle vit que la tristesse avait de nouveau envahi ses yeux.

— Hmm ?

— Ton père ne tenait pas vraiment à ce que tu élèves des chevaux, n'est-ce pas ?

— Pas vraiment.

— Mais encore ?

— Mon père n'était pas capable de m'aider, en matière de chevaux. Il disait qu'il n'avait pas le temps, et que l'élevage de bétail suffisait.

— C'est pour cela que tu es parti, lorsque tu as eu dix-huit ans ?

— Oui. J'étais en colère et je me sentais frustré. Le prix du bétail n'était plus aussi haut qu'à une époque. Je lui ai dit que nous devions nous diversifier, mais il n'en a pas tenu compte. C'était un vrai fermier, et seuls ses vaches et ses taureaux l'intéressaient.

— Tu m'as dit aussi que tu étais revenu à cause de sa santé. Mais il y avait autre chose que son cœur, n'est-ce pas ?

— Oui, il y avait autre chose.

Il poussa un profond soupir, puis se décida.

— Mon père avait un problème avec la boisson, comme on dit. Il avait connu plusieurs coups durs, dans sa vie. Mon frère aîné est mort-né et ma mère est décédée peu de temps après ma naissance. Jamais, il ne s'est remis de ces deux drames.

— Et toi, il t'a perdu quelque part en chemin ?

— On peut dire ça. Tooter a réparé les dégâts que mon père causait.

— C'est lui qui t'a appris tout ce que tu sais.

— Il a été comme un père pour moi.

— Il a sauvé le ranch ?

— Il a sauvé mon héritage et la fierté de mon père. Il a tout assumé à sa place, l'a aidé à redevenir sobre ; il s'assurait qu'il mangeait correctement chaque jour, au lieu de boire. Tooter a travaillé dur. Il croyait en moi, en mes idées pour développer un élevage et m'a aidé à chaque étape.

— Tout comme ma grand-mère l'a fait pour moi.

Elle se glissa vers lui et posa sa main sur sa nuque pour combler son irrépressible besoin de le toucher.

Lorsqu'ils arrivèrent au ranch, Tooter se tenait devant le porche. A peine Sam eut-il garé son 4x4, que son contre-maître était déjà à la portière. Sam l'ouvrit et descendit aussitôt. Jenna fit le tour du 4x4 et entendit les dernières paroles de Tooter.

— ... s'est comportée bizarrement toute la journée. J'ai essayé de te joindre sur ton portable, mais tu ne répondais pas.

— J'étais au magasin.

Sam se dirigeait déjà vers l'écurie d'un bon pas, Tooter derrière lui. Apparemment, il se faisait beaucoup de souci pour sa jument.

— J'espère qu'elle va bien ! cria Jenna.

Sam s'arrêta et se retourna.

— Merci, dit-il.

Jenna se dirigea vers la maison, et resta un moment dans le hall. Son estomac criait famine, mais elle décida de l'ignorer, et regarda en direction du couloir qui menait au bureau de Sam.

Autant dire les choses clairement : elle avait purement et simplement négligé sa mission. Elle s'était laissé prendre au piège des beaux yeux bleus de Sam, et à ses mains si vigoureuses qui la fascinaient. Ses pensées prenaient un tour qui ne lui plaisait guère ; elle avait soudain des envies de stabilité, de foyer où il faisait bon se retrouver… à deux.

Mais non, ce n'était pas sa vie. Sa vie à elle consistait à ne se soucier que d'elle-même, et à conserver son indépendance ; à ne jamais laisser quiconque devenir trop proche, afin qu'elle n'ait jamais à faire de choix.

Elle se hâta jusqu'au bureau de Sam. Il fallait qu'elle trouve le journal. Il le fallait absolument. Mais lorsqu'elle entra, elle déchanta rapidement : Caleb se trouvait déjà là, en train de ranger des papiers pour Sam.

Il se retourna pour la regarder, alors qu'elle se tenait toujours sur le seuil, le souffle coupé.

— Vous avez besoin de quelque chose, m'dame ?

— Non, désolée de vous avoir dérangé.

Elle se retira et se dirigea vers la salle à manger. Puis rapidement, elle passa devant le salon et monta à l'étage. Maria sortait de la chambre de Sam, une corbeille à linge entre les bras.

— Ah, vous êtes rentrés tous les deux ! Puis-je vous préparer quelque chose à manger ?

— Volontiers, mais je ne sais pas à quelle heure Sam pourra venir me rejoindre. Il est aux écuries. Je crois qu'il s'agit de Jigsaw's Pride.

— Est-ce qu'il y a un problème ?

Maria avait l'air soucieuse.

— Je ne sais pas exactement, mais Sam était inquiet. Il a l'air de tenir à cette jument.

Maria hocha la tête tout en descendant l'escalier, et Jenna la suivit.

— Tous ses animaux sont importants pour lui, mais celle-ci est particulière à ses yeux. Il l'a acquise auprès d'un homme qui la maltraitait et, depuis, a pris soin d'elle chaque jour.

— Sam m'a dit qu'il avait quitté le ranch, à une époque, parce que son père n'était pas intéressé par l'élevage de chevaux.

— Ce n'est un secret pour personne. Chacun ici les a entendus se disputer à ce sujet.

— Vous le connaissiez déjà, à l'époque, Maria ?

Maria sourit.

— J'ai travaillé, lavé et cuisiné dans ce ranch depuis que j'ai l'âge de dix-huit ans. C'est même ici que j'ai rencontré Red, mon mari. Les Winchester ont toujours été bons pour nous.

— Vous avez dû connaître le père de Sam, alors.

— Oui, il n'a pas toujours été à la hauteur avec son fils, mais heureusement, Tooter était là. Sam a été un petit garçon adorable, un adolescent solide et responsable, puis il est devenu l'homme charmant que vous connaissez aujourd'hui. Vous n'en trouverez pas de meilleur. Il s'est senti frustré, à cause de son père. Voilà le problème. Peut-être avait-il besoin de se prouver quelque chose à lui-même. Tout ce que je sais, c'est que, lorsque son père est tombé malade, il est revenu ici chaque week-end, quand il n'était pas de permanence au poste de police.

— Il a de la chance de vous avoir, Tooter et vous.

— C'est nous qui avons eu de la chance de travailler pour une famille aussi agréable.

Jenna sentit une boule se nouer dans sa gorge. Il était douloureux de constater à quel point leurs enfances avaient été différentes. La sienne avait été embellie par la musique et par ses liens affectifs si forts avec ses grands-parents mais réglée également par la stricte discipline de son entraînement musical. On lui avait enseigné tout ce qu'elle pouvait souhaiter. La seule chose à faire était de se fixer un but et de l'atteindre. Même pour la célébrité.

Sam, quant à lui, avait dû chercher son équilibre tout seul, mais cette lutte avait forgé son caractère.

Maria termina de préparer leur déjeuner et servit les assiettes.

— Je vais aller prévenir Sam que tout est prêt, dit-elle.

— Non, je vous en prie, Maria, laissez-moi le faire.

Jenna sortit par la porte arrière et se dirigea vers les écuries. Lorsqu'elle y parvint, elle vit Tooter et Red qui se tenaient près d'un box. Elle s'approcha et aperçut Sam à l'intérieur. Il caressait une superbe jument noire, dont les flancs étaient gonflés du poulain à naître.

— Comment va-t-elle ? demanda-t-elle.

Les trois hommes la regardèrent. Red sourit et lui fit de la place à côté d'eux, devant la porte du box. Tooter garda son habituelle mine renfrognée, mais s'écarta également afin de lui laisser une meilleure vue sur la jument.

Sam s'approcha et lui sourit.

— On dirait que ça va aller. Je crois qu'elle va mettre bas dans la soirée.

Quelques instants, plus tard, Jenna se retirait, laissant les hommes entre eux.

Elle rentra à la maison, s'arrêtant d'abord dans la cuisine pour prendre son repas, puis se dirigea vers sa chambre, où elle enfila délibérément des vêtements sophistiqués. Elle savait à quel monde elle appartenait, et ce n'était pas à celui de Sam. Bien sûr, elle avait le pouvoir de mettre Sam à ses pieds, et cette idée la faisait presque frémir. Si elle utilisait ce pouvoir pour lier Sam à elle, où est-ce que cela les mènerait ? Bien sûr, au bout d'un certain temps, elle réussirait certainement à le convaincre de vendre son ranch et à quitter Savannah. Elle était absolument certaine de pouvoir arriver à ses fins, si elle le souhaitait.

C'était quelque chose que sa mère n'aurait pas hésité à faire. Mais pour elle, cela aurait représenté la trahison ultime, et elle se promit de n'en jamais rien faire.

Elle n'était absolument pas comme sa mère.

Jamais elle ne détruirait Sam.

Jamais.

Il était bien mieux sans elle, et sans l'influence qu'elle pouvait avoir sur lui.

Elle prit son violon, et commença à jouer. Mais son esprit était ailleurs.

Jamais elle ne se serait attendue à apprécier le mode de vie qu'elle avait ici.

Jamais elle ne se serait attendue à se plaire dans une ville comme Savannah. Il existait ici une proximité entre les êtres qui la touchait, procurant un doux sentiment qu'elle avait envie de faire sien et de garder au fond de son cœur.

C'était comme lorsqu'elle prenait le thé avec sa grand-mère, ou se promenait au clair de lune avec son grand-père, tandis qu'il lui apprenait le nom des étoiles, une à une. C'était comme être enfin arrivée… chez soi. Plus elle passait de temps au Wildcatter, moins elle avait envie de partir.

Pourtant, elle devait s'en aller.

12.

Des heures plus tard, un coup frappé à sa porte la fit sursauter, au point qu'elle en lâcha son archer.

— Entrez.

Sam passa sa tête par l'entrebâillement de la porte. Il était crasseux et avait l'air épuisé.

— Désolé de te déranger, mais tu voulais aller dans ce bar, ce soir. Toujours partante ?

Elle faillit lui dire qu'elle avait besoin de continuer à s'exercer, mais ne put s'y résoudre. Il lui restait si peu de temps à passer avec lui. Et ce temps semblait s'écouler de plus en plus vite.

— Volontiers, mais es-tu certain de pouvoir quitter Jigsaw's Pride ? Tu disais qu'elle allait mettre bas ce soir.

— Ce sera bien plus tard, dans la nuit, crois-moi, mais si cela peut te rassurer, j'ai dit à Tooter qu'il m'appelle sur mon portable, en cas de besoin.

— Tu as l'air fatigué.

— Une bonne douche, une soirée avec toi, et toute fatigue disparaîtra. J'aimerais t'enseigner deux ou trois pas de danse bien de chez nous. Accorde-m'en plusieurs, ce soir. Je serai bientôt prêt.

— Je t'attends.

Elle se doucha, elle aussi, et enfila un jean qu'elle avait acheté dans la boutique de Lurlene. D'humeur malicieuse, tout à coup, elle décida d'ouvrir sa valise. A l'intérieur se trouvait un petit bustier noir à bretelles qui moulait parfaitement ses formes et rendrait certainement Sam fou de désir.

En souriant, elle l'enfila, puis se coiffa et descendit au rez-de-chaussée.

Elle se rendit dans le salon, et s'arrêta net. Sam se trouvait déjà dans le hall. La lumière du lustre brillait dans ses cheveux sombres. Il portait un T-shirt moulant qui mettait ses épaules en valeur ainsi qu'un pantalon de cuir noir. Elle suivit la ligne de ses jambes, jusqu'à ses pieds.

Il portait des bottes rouges.

Il était en train de serrer la main de Jake Stanton et lui tendait un chèque. Inconscient de l'attention dont il était l'objet, il ouvrit la porte, et l'entrepreneur partit. Apparemment, les travaux dans le bureau de Sam étaient terminés.

Lorsqu'il se retourna et qu'il posa les yeux sur elle, il laissa échapper un sifflement admiratif.

— Superbe. Je crois qu'il va falloir que je te tienne en laisse, ce soir, sinon un cow-boy mal intentionné risque de te kidnapper.

Elle marcha jusqu'à lui et passa ses bras autour de son cou, pressant son corps contre le sien, l'émotion voilant sa voix.

— Il faudrait qu'il soit vraiment doué pour m'éloigner de toi… Et qu'en est-il des cow-girls, qui vont s'évanouir rien qu'en te regardant ?

Il lui sourit.

— Je me contenterai de leur marcher dessus en t'accompagnant sur la piste de danse.

Ils rirent et elle lui passa la main dans les cheveux.

— Vilain garçon.

Ses yeux bleus se rivèrent aux siens et, durant un instant, l'appétit qu'il éprouvait pour cette femme lui coupa quasiment le souffle. Quel bonheur de savoir qu'elle avait autant envie de lui, que lui d'elle !

Pourtant, il avait tout à fait conscience du temps qui filait et du fait qu'elle serait bientôt partie.

Repoussant cette pensée, il lui prit le menton, leva son visage vers lui, et posa sa bouche sur la sienne, d'abord doucement, puis avec de plus en plus de ferveur.

Jenna répondit à son baiser en écartant les lèvres. Leurs langues s'emmêlèrent et leur étreinte s'intensifia. Il sentit la courbe gracile de ses hanches pressée contre la raideur qui gagnait son bas-ventre.

Avant qu'ils n'atteignent le point de non-retour, il rompit leur baiser.

— Nous ferions mieux d'y aller, avant que je ne t'entraîne là-haut, dans mon lit. La nuit dernière me semble déjà si loin…

Elle le regarda et lui sourit.

— A moi aussi.

Lorsqu'ils furent dans le 4x4, roulant dans l'obscurité, elle se tourna vers lui.

— Est-ce que Jake a terminé ton bureau ?

— Oui, il a fait du bon travail.

— Alors, tu vas enfin pouvoir utiliser ce superbe bureau que tu as acheté à New York.

— Oui, ce meuble rendrait presque la paperasserie agréable.

Bientôt, ils arrivèrent au bar. On entendait la musique résonner depuis l'intérieur. Ils entrèrent et Sam demanda une table. En s'y dirigeant, il remarqua de nombreux couples sur la piste de danse.

Il salua quantité de gens et fut agréablement surpris de voir que certains saluaient également Jenna, l'appelant par son prénom.

Enfin, ils s'installèrent à leur table et la serveuse, Ann Louise, s'enquit de leur commande.

— Alors, Sam, comment va mon oncle Red ? Cela fait une bonne semaine que je ne l'ai pas vu.

— Tu le connais. Toujours aussi bougon.

— Bien, dis-lui bonjour de ma part, veux-tu ? J'irai le voir la semaine prochaine.

— D'accord.

Ann Louise posa ensuite un regard chargé de curiosité sur Jenna.

— Vous êtes cette fameuse musicienne dont tout le monde parle, ici ? J'ai entendu dire que vous séjourniez chez Sam.

— C'est bien moi, répondit Jenna.

— Ravie de vous rencontrer. J'espère que vous appréciez votre séjour. C'est vraiment admirable, ce que vous faites, de jouer ainsi, bénévolement, afin d'aider à récolter des fonds pour l'hôpital. C'est une cause qui tient vraiment à cœur à Sam. Bon, qu'est-ce que je vous sers ?

— Une bière, pour moi. Jenna ?

— La même chose.

Ann Louise sourit, puis se dirigea vers une autre table.

— Alors, tu veux prendre ta première leçon ? proposa Sam.

Elle regarda la piste de danse d'un air inquiet.

— Ce n'est pas très difficile, tu sais. Viens, fais-moi confiance.

Elle se leva et mit sa main dans la sienne. Il la conduisit sur la piste.

— Suis-moi.

Il la tint contre lui, dans la position classique d'une valse.

— Lorsque je m'avance, tu recules. C'est une danse à deux temps, très simple.

Il lui fit une démonstration, puis ils s'élancèrent.

— En douceur… voilà … tu y es !

Ils dansèrent sur ce morceau, puis sur le suivant. Sam aimait la tenir ainsi entre ses bras. Il s'imaginait déjà danser avec elle ainsi, chaque samedi soir.

— Sam, pourrait-on essayer cet autre pas que tout le monde a l'air de connaître par cœur ?

— Hm, mademoiselle se lance !

— Oui, je prends le taureau par les cornes.

Il lui enseigna les rudiments de cet autre pas et de nouveau elle se sentit rapidement à l'aise.

Visiblement, elle passait un bon moment. Ses yeux brillaient de joie.

Soudain, il sentit son estomac se contracter. Depuis des années, Maria lui disait qu'il avait besoin de se trouver une nouvelle femme. Il ne pouvait pas dire le contraire. Mais bon sang, ce n'était certainement pas celle avec qui il dansait ce soir, dont il avait besoin.

Il sentait encore la douceur de ses cheveux entre ses doigts, voyait encore la lueur de désir dans ses yeux. Il se souvenait du rythme de sa respiration, lorsqu'il la tenait entre ses bras, de son rire… et de tant d'autres choses.

Mais certains principes se rappelaient à sa mémoire. La plus belle paire de fesses moulées dans un jean, ne devait pas faire perdre la tête à un homme, ni le détourner de ses priorités. Or, il connaissait bien les siennes : dès l'instant où il avait appris que son père était malade, il avait su quelle direction sa vie prendrait. Il avait quitté l'équipe des Rangers sans hésitation, et était rentré chez lui.

L'élevage : voilà ce qui comptait pour lui. C'était sa vie.

Jamais il ne pourrait y renoncer.

Pourtant, en dansant avec Jenna, il était tenté de lui dire qu'elle semblait dans son élément ici. C'était surprenant de voir avec quelle facilité elle s'était glissée dans son monde, avec quelle simplicité elle avait su se mêler aux habitants de la petite ville, n'hésitant pas à aller dîner avec lui au restaurant local, ou à acheter des vêtements dans une petite boutique qui ne ressemblait guère à Bloomingdale's ou à Neiman Marcus.

De même, elle l'avait aidé lorsque Rose du Texas avait donné naissance à ses deux veaux, elle avait galopé avec lui sous la pluie et passé la nuit dans un lit de fortune, sans rechigner. Elle l'avait culbuté dans le foin, sans jouer les délicates. Bon sang, il l'adorait. Et même plus encore ! Oui, Jenna Sinclair, avec ses yeux séducteurs, sa bouche gourmande et son enthousiasme, pouvait bien briser son cœur, s'il la laissait faire.

La musique s'arrêta. Jenna était essoufflée par la danse et leurs éclats de rire.

— Je meurs de soif.

Ils regagnèrent leur table, s'assirent, et elle avala quelques grandes goulées de bière. Sam la regardait en souriant.

— Pas très féminin, n'est-ce pas ? dit-elle en léchant la mousse au-dessus de sa lèvre.

Sam sentit son entrejambe se raidir et s'exhorta au calme.

Quelqu'un interpella Jenna.

— Hé ! la violoniste ! Pourquoi tu ne nous jouerais pas un air ?

Sam la regarda, et elle regarda l'orchestre. Un des musiciens tendait son violon vers elle. Elle sourit à Sam d'un air malicieux, se leva et se dirigea sur scène. Pour la première fois depuis son ouverture, le bar était entièrement silencieux. Jenna regarda la foule, se pencha et dit quelque chose aux membres du groupe. De grands sourires illuminèrent leurs visages. Jenna posa son archer sur le violon et commença à jouer la version modernisée d'une chanson de country très populaire. La plupart des couples se précipitèrent sur la piste de danse.

Sam ne pouvait détacher ses yeux d'elle tandis qu'elle jouait et appréciait visiblement de se trouver au milieu de l'orchestre. Dès la fin du morceau, chacun applaudit.

Elle le rejoignit en souriant.

— Où as-tu appris ce morceau ?

— J'avais un professeur qui estimait que nous devions apprendre toutes sortes de musiques. J'adorais cette chanson et je l'ai joué des dizaines et des dizaines de fois, jusqu'à ce que je la maîtrise parfaitement. Cela m'a vraiment aidée à m'améliorer pour le classique.

Elle s'assit et soudain le téléphone portable de Sam sonna.

— Winchester.

C'était la première fois dans sa vie qu'il entendait Tooter paniquer. Son sang ne fit qu'un tour.

— Sam, je ne sais pas ce qui se passe, mais Jigsaw's Pride va vraiment mal. J'ai déjà appelé le vétérinaire, dit Tooter.

— Nous arrivons tout de suite.

Jenna se tenait à la fenêtre de sa chambre, qui donnait sur les écuries, et attendait des nouvelles de la jument et du poulain. Elle était anxieuse : l'inquiétude de Sam était véritable.

En discutant avec lui dans le 4x4, elle avait réalisé avec surprise à quel point il tenait à sa jument. C'était la première fois que Jigsaw's Pride allait mettre bas et ce poulain était pour Sam l'objet de grands espoirs — la succession d'une jument en laquelle il croyait. Il lui avait dit son émotion à la naissance du premier poulain de son élevage.

Tout ceci ne lui était guère familier, mais elle comprenait Sam. Et elle avait beau se dire qu'elle devait aller se coucher parce que le lendemain soir, elle avait un nouveau concert à donner, elle savait qu'elle ne pourrait pas dormir. Car, comparée à l'angoisse de Sam, sa musique ne lui semblait plus aussi importante. Ce soir, c'était pour lui qu'elle s'inquiétait. Jamais il ne supporterait de perdre sa jument !

Bon sang, elle était venue ici pour récupérer le journal intime de sa grand-mère, et rien d'autre. C'était pourtant un plan d'une extrême simplicité. Néanmoins, même en cet instant, où elle aurait facilement pu se rendre dans le bureau de Sam et fouiller le meuble, elle était incapable de s'y résoudre. La culpabilité serait trop lourde à porter. Comment pourrait-elle trahir si odieusement cet homme, qui était aussi merveilleux avec elle ?

Tout aurait dû être si facile.

A présent, tout s'était compliqué.

Il demeurait pourtant deux priorités : retrouver le journal et partir d'ici.

La nuit passa, et lorsque les premières lueurs de l'aube balayèrent le ranch, Jenna quitta la fenêtre, ouvrit sa porte et descendit l'escalier.

Alors qu'elle se dirigeait vers le bureau de Sam, la porte d'entrée s'ouvrit.

Sam se tenait sur le seuil, l'air complètement groggy. Il la regardait fixement, comme si son cœur venait d'être brisé. Elle comprit immédiatement et s'approcha de lui.

— Nous les avons perdus, tous les deux. Le poulain était mort-né et…

Les mots s'étranglèrent dans sa gorge. Il ferma les yeux et resta immobile, puis prit sa main. Elle sentit sa paume glacée dans la sienne, et ressentit une profonde tristesse.

— Viens avec moi, Sam.

Il la laissa le guider dans l'escalier et jusqu'à sa salle de bains. Il tremblait et elle le fit asseoir, observant la fatigue sur son visage et le désespoir dans ses yeux. Emue, elle tourna les robinets de la douche et ajusta la température de l'eau, jusqu'à ce qu'elle soit parfaite.

— Viens, dit-elle. Glisse-toi sous la douche. Ensuite, tu iras te coucher.

Elle l'aida à se déshabiller, le poussa sous la douche puis retira à son tour ses vêtements. Une fois sous l'eau avec lui, elle le savonna énergiquement de haut en bas et l'aida à se rincer.

Elle le sécha et le conduisit au lit, où il s'allongea, les bras repliés sur les yeux, la mâchoire crispée.

Il n'avait pas bougé lorsqu'elle revint de nouveau de la salle de bains, et il resta dans la même position lorsqu'elle se mit au lit avec lui.

Elle se glissa contre lui et doucement, prit son avant-bras pour l'écarter de ses yeux.

— Laisse-moi te serrer contre moi, Sam.

Il poussa un profond soupir, puis obtempéra.

Elle le serra dans ses bras, son corps lourd contre le sien, et espéra qu'il s'endormirait rapidement. Mais il ouvrit soudain les yeux et la regarda avec intensité.

— Merci d'être là, dit-il d'une voix rauque.

— Je t'en prie.

Après toutes les nuits où elle avait partagé son lit, après tous ces longs moments passés à faire l'amour, cette nuit-là revêtait une importance particulière, parce qu'elle avait la sensation d'être entièrement à son écoute. Elle remarquait tout : la façon dont il respirait et dont sa poitrine se soulevait, la douceur de ses cheveux sur l'oreiller, le parfum de sa peau, la chaleur qui émanait de lui. Durant des heures, bien après qu'il se fut endormi, elle resta ainsi à le contempler, mémorisant une foule de détails qui seraient autant de souvenirs. Elle se sentait si coupable envers lui, qu'elle avait presque du mal à respirer. Il dormait d'un sommeil si profond, si confiant, qu'elle ressentait le besoin de le protéger.

Jusqu'à présent, jamais elle ne s'était préoccupée du bien-être de qui que ce fut. Son confort à elle, c'était sa grand-mère qui le lui avait offert. A présent, elle ressentait le besoin d'un lien plus fort, plus intime avec Sam.

A cette idée, la panique la gagna. Qu'il était tentant de s'abandonner aux émotions qu'il déclenchait en elle. Et soudain, elle redouta la solitude qui serait la sienne à son retour à New York.

Sam se réveilla dans l'après-midi. La pluie tambourinait sur le toit, leur rappelant qu'il existait un monde en dehors de leur chambre.

Un monde qu'il leur faudrait tôt ou tard affronter.

Il roula dans le lit jusqu'à elle, sa barbe naissante éraflant légèrement sa peau lorsqu'il tourna la tête. Jenna sentit son souffle chaud dans son cou, lorsqu'il chuchota son nom.

Elle lui caressa les cheveux, et une vague de tendresse dont elle s'effraya la submergea.

Doucement, il caressa sa poitrine, puis, avec ses genoux, écarta ses cuisses et s'installa entre ses jambes, son sexe déjà durci par le désir.

Il l'embrassa dans le cou.

— J'ai besoin de toi, Jenna, dit-il d'une voix chargée d'émotion.

De toutes les choses qu'il aurait pu lui dire, c'était celle qu'elle avait le plus envie d'entendre... et qu'elle redoutait également plus que tout.

Il enfouit son visage dans son cou et soudain, le désir les submergea tous les deux.

— J'ai envie de toi, j'ai envie de venir tout au fond de toi.

— Oui, répondit-elle d'une voix gutturale.

Cette fois, il ne fut plus question de tendresse ou de maîtrise de soi. La faim qu'ils avaient l'un de l'autre les consumait, les emmenait au bord d'abysses inexplorés, d'où ils n'étaient pas certains de revenir.

Puis soudain, l'univers tout entier sembla exploser autour d'eux.

Après l'extase, Sam la tint serrée entre ses bras. Leurs corps tremblaient toujours et Jenna se lova contre lui, si troublée émotionnellement, qu'elle se sentait incapable de bouger.

Tandis que les vagues de plaisir refluaient, elle prit conscience qu'elle était sur le point de fondre en larmes. Pourtant, elle se sentait en sécurité dans les bras de Sam, à un point qu'elle n'avait jamais connu.

Il soupira profondément et se tourna vers elle.

— Ça va ?

Elle hocha la tête et enfouit son visage dans son cou.

— Et toi ?

Il lui sourit, une lueur amusée au fond des yeux.

— Pas mal.

Elle savait qu'il essayait de détendre l'atmosphère et lui en fut reconnaissante ; elle l'embrassa, puis le regarda droit dans les yeux.

— Je suis heureuse d'être venue ici, Sam, dit-elle en essayant de maîtriser le tremblement de sa voix.

— Moi aussi, ma belle. Moi aussi.

Elle s'allongea à côté de lui, la tête sur son épaule. Pendant un instant, ils restèrent ainsi en silence.

— A quoi penses-tu ? demanda-t-elle.

Il soupira.

— Je me demandais si j'aurais pu faire quelque chose pour sauver Jigsaw's Pride, ou bien si je suis juste en train de me torturer pour rien.

Il soupira de nouveau.

— Je suis *certainement* en train de me torturer pour rien.

— Qu'a dit le vétérinaire ?

— Que je n'aurais rien pu faire d'autre. C'est la nature. Le poulain était trop gros, il l'a déchirée à l'intérieur et nous n'avons pas pu stopper l'hémorragie.

— Je suis vraiment désolée, Sam.

— Je sais, et je t'en remercie. Néanmoins, il se fait tard et nous ne devons pas oublier que tu as un concert ce soir. Je suis certain que tu as envie de t'exercer un peu, dit-il, semblant retrouver un ton plus léger.

— Tout ce que je voudrais, c'est rester allongée ici, avec toi.

— Moi aussi, j'aimerais bien.

Elle le regarda et sourit.

— Tu sais, je connais déjà très bien tous les morceaux que je vais jouer ce soir.

Il rit, et l'attrapant par la taille, la fit asseoir à califourchon sur lui.

— Vraiment, petite coquine ? Alors, dis-moi un peu, que pourrions-nous faire pour tuer le temps d'ici à ce soir ?

— Hm, je crois qu'en y réfléchissant bien, nous trouverons quelque chose.

Bien plus tard, lorsqu'elle quitta la chambre de Sam, elle s'aperçut qu'elle avait encore largement le temps de s'exercer au violon, ce qu'elle fit, jusqu'à ce qu'ils partent pour le Tannenbaum Theater.

Le concert se déroula à la perfection et elle fut agréablement surprise de la présence de nombreux habitants de Savannah dans le public.

Son auditoire l'applaudit longuement, et elle donna deux rappels.

Lorsqu'elle retourna dans sa loge, celle-ci regorgeait de bouquets de fleurs de ses admirateurs locaux.

Elle fut encore chaleureusement félicitée durant le cocktail qui suivit le concert.

Lorsqu'ils pénétrèrent dans la salle où se poursuivait la soirée, chacun s'immobilisa et soudain, les applaudissements éclatèrent de toutes parts.

Jamais elle ne s'était sentie aussi heureuse.

Pourtant, le même soir, à peine rentrée, elle se sentit gagnée par la panique.

Par la panique et la culpabilité.

Comment leur histoire, à Sam et à elle, pourrait-elle fonctionner ?

Comment venir à bout de tous ses doutes ?

Comment survivrait-elle à leur séparation, lorsqu'elle serait de retour chez elle ?

Elle décida de fouiller le bureau, même si l'idée l'en tourmentait.

Elle partait le lendemain et c'était le moment où jamais de mettre la main sur ces carnets. Elle était venue pour ça, et pour rien d'autre.

Pressée d'en finir, elle se dirigea jusqu'au bureau de Sam qui était parti garer le 4x4 et s'assurer que tout était en ordre. Une fois sur place, elle commença à fouiller le meuble de son aïeule, mais son journal intime était introuvable. De même que les bijoux.

Sa gorge se serra. Il devait les avoir trouvés.

Elle avait été complètement stupide.

— Que diable fais-tu ici ?

Elle sursauta et se retourna en entendant la voix de Sam.

— Je cherche le journal intime de ma grand-mère.

13.

— Quel journal intime ? demanda Sam manifestement intrigué.

Elle soutint son regard.

— Comme tu l'as dit, tu as acheté ce meuble à une vente aux enchères. En fait, il n'aurait jamais dû quitter la maison de ma grand-mère.

Un nœud se formait déjà dans sa gorge.

Sam la regardait, interloqué.

— Quoi ?! C'est le bureau de ta grand-mère ?

Elle se mordit nerveusement les lèvres.

— Le journal s'y trouve forcément. Les deux autres étaient vides.

— Tu es venue ici pour ce meuble ? Pas pour nous aider à récolter des fonds pour l'hôpital ?

Il avait l'air blessé.

— Tu m'as menti !

— Oui. Sam, il est vraiment très important que tu me donnes ce carnet. Il renferme des informations confidentielles, qui pourraient faire du tort à des gens… et je ne peux pas le laisser entre des mains étrangères. Je l'ai promis à ma grand-mère. Je veux aussi que tu me rendes les bijoux.

Il avait l'air de plus en plus surpris.

— Je ne comprends pas un traître mot de ce que tu me dis, et je n'ai ni le journal intime de ta grand-mère, ni ses bijoux. Tu es venue ici pour rien.

Ses mots la fouettaient au visage et la culpabilité l'envahissait. Elle essaya de rester digne, de parler calmement. Et soudain, elle comprit qu'elle avait agi à dessein en le trahissant. Elle savait pertinemment que Sam n'aurait pas gardé le carnet. Elle le savait, et tout ce qu'elle cherchait c'était à briser les sentiments qu'il éprouvait pour elle.

C'était la meilleure chose qu'elle pouvait faire pour lui. Il fallait qu'il cesse de l'aimer.

Il fallait qu'il la déteste.

Ainsi, tout serait plus facile.

Il se détourna d'elle et sortit de la pièce. Ce ne fut qu'au moment où elle entendit claquer la porte d'entrée, qu'elle sortit de sa léthargie.

— Sam !

Sa voix n'était plus qu'un mince sifflet.

Elle sortit du bureau, se précipita dans le hall et ouvrit la porte en grand. Alors, elle le vit qui s'éloignait sous le déluge.

Sam avait l'impression qu'on venait de lui retirer le cœur de la poitrine. Jenna était chez lui sous le prétexte de l'aider pour la reconstruction de l'hôpital, avec soi-disant, *l'envie de goûter au mode de vie dans un ranch*, comme elle le lui avait dit.

En fait, tout ceci n'était qu'un prétexte pour récupérer un journal intime et des bijoux, qu'elle croyait qu'il lui avait volé.

Comment pouvait-elle penser une telle chose de lui ? Comment pouvait-elle l'accuser de la sorte ? S'il avait trouvé quoi que ce soit dans ce vieux bureau, il aurait fait tout ce qui était en son pouvoir pour le transmettre à son ancien propriétaire. Sa peine grandit encore. Le fait qu'elle n'eut pas confiance en lui était encore plus douloureux que de savoir qu'elle était ici sous de faux prétextes. Elle aurait dû savoir. Elle aurait dû mieux le connaître.

Lui faire confiance.

— Sam !

Il s'arrêta et se retourna, tandis qu'elle courait vers lui, à perdre haleine, sous la pluie et le vent.

Elle fonça droit sur lui et lui fit perdre l'équilibre. Ils tombèrent, et roulèrent ensemble au bas du talus.

Au terme de leur chute, elle se retrouva au-dessus de lui, ses jambes emmêlées aux siennes, son visage ruisselant de pluie au-dessus du sien. Elle plongea ses yeux gonflés de larmes dans son regard hébété, et il vit soudain la douleur qui était la sienne, il lut la peine sur son visage et sentit son cœur se serrer. La soie de sa robe était si fine, qu'il voyait ses tétons bruns à travers le tissu, et devinait toutes les courbes de son corps. Elle était si belle, et semblait en même temps si peu sûre d'elle, qu'il en fut ému.

Il l'observa de haut en bas, de ses seins, si ronds, si fermes, à ses cuisses longues et bronzées.

Alors il comprit que s'il devait se séparer d'elle, sa vie ne ressemblerait plus à rien. Ses yeux remontèrent jusqu'à ses seins et il vit ses tétons durcir sous son regard. Il tendit les bras vers elle, tira sur la bretelle du bustier, l'attira contre lui, et la serra dans ses bras.

— Sam, haleta-t-elle. Sam.

Elle continua de chuchoter son nom.

— Sam, je suis tellement désolée.

— Je sais, dit-il doucement.

— Ma grand-mère avait trois bureaux. Sans daigner me consulter, mon oncle les a tous vendus. J'avais peur que tu ne comprennes pas ma requête et que tu gardes le carnet. A présent, je sais que tu n'aurais jamais fait cela. Jamais.

— Non, je ne l'aurais pas fait.

Jenna venait d'avouer son erreur, et il sentait la douleur s'alléger dans sa poitrine. Il leva les yeux vers elle.

— Jenna, je t'aime.

— Ne dis pas cela, je t'en prie.

— Si, je le dois. Je veux que tu restes ici. On trouvera des solutions. Je le sais.

— Je suis désolée, pour tout, dit-elle.

Elle secoua la tête et enfouit son visage dans son cou, puis se mit à pleurer.

— Oh Sam, Sam. Pardonne-moi, je t'ai fait du mal. Je voulais te protéger. Il faudrait que je fasse un choix, et j'en suis incapable. J'aime trop ma musique. Je ne peux pas y renoncer, même pas pour toi. Dis-moi que tu comprends, Sam. Toi, tu as besoin d'une femme qui restera à tes côtés et te secondera au ranch. Tu le sais bien.

— Je comprends tout à fait ce que tu ressens vis-à-vis de ta musique. Je ne suis pas en train de te demander de modifier complètement ta vie ni de renoncer à quoi que ce soit pour rester ici.

Oui, il comprenait. Il ne comprenait que trop bien, ce qu'elle ressentait.

— Jenna, je ne te demande pas de faire un choix définitif. Juste de trouver un compromis, pour ne pas nous priver l'un de l'autre.

Elle releva la tête. La voir ainsi pleurer lui brisait le cœur.

— Je ne peux pas ! cria-t-elle. Ça ne fonctionnerait pas. Tu ne comprends pas qu'il n'y a aucun compromis possible pour moi ? Il n'y a que ma musique ! C'est exactement ce que mon père a demandé à ma mère de faire, et elle en a été incapable. Trouve-toi une femme qui a les mêmes envies que toi, Sam. Moi, je ne suis pas celle qu'il te faut.

— Bon sang, Jenna ! Je n'arrive pas à le croire ! Alors, tu t'en vas, et il n'y a rien que je puisse dire qui te fasse rester ici ?

— Rien.

Elle inspira profondément, comme pour se convaincre elle-même.

— Je dois partir demain, comme je l'ai promis à mon agent. J'ai une tournée à terminer. Et j'ai bien peur que le journal intime soit perdu à jamais.

Il serra les mâchoires et, plutôt que de songer à lui faire des reproches, il la serra fort contre lui. La pluie s'accentua pendant qu'il l'enlaçait et il sentit comme un ouragan se former au plus profond de lui. Il ne s'agissait que des prémices, mais il savait que lorsque cette tempête interne se déchaînerait, elle serait terrible.

Même s'ils avaient fait la paix, Jenna était déjà en train de s'éloigner de lui, et il se demanda comment il allait continuer à vivre sans elle.

L'avion s'élevait dans la brume matinale, et Jenna lutta contre les larmes qui lui montaient aux yeux. C'était Tooter qui l'avait conduite à l'aéroport, et elle avait été incapable de le regarder en face.

En l'accompagnant au terminal, il n'avait pas été plus loquace et s'était contenté de lui souhaiter bon voyage. Puis il était parti. Le cœur lourd, elle s'était alors dirigée vers le comptoir d'enregistrement. Puis lorsque les haut-parleurs avaient annoncé son vol, elle était montée dans l'avion.

Quand elle put enfin détacher sa ceinture de sécurité, elle attrapa sa sacoche et y prit le premier tome du journal. Se calant dans son siège, elle ouvrit le carnet à la dernière page qu'elle avait lue, et poursuivit sa lecture.

… Après notre étreinte, je me blottis entre ses bras, comblée, et déterminée à retrouver cet homme à tout prix. Je ne pouvais pas imaginer un seul instant ne plus le revoir, mais le fait était que je devais rentrer à New York, alors qu'il restait à Oahu.

Le jour de mon départ approchait et je me sentais de plus en plus éprise de lui. J'avais du mal à supporter cela. Finalement, lorsqu'il vint me voir, je lui avouai mon amour. Il prit alors ma main dans la sienne, et me dit qu'il m'aimait aussi. C'était le plus beau moment de ma vie. Je me mis à rire et tombai dans ses bras.

Nous passâmes la journée ensemble. Notre amour intensifia notre passion et l'enrichit plus encore, si cela était possible. J'avais enfin trouvé ce que j'avais tant cherché.

Je venais surtout de comprendre que l'amour avait toujours été absent de toutes mes aventures. Voilà pourquoi mes différentes liaisons m'avaient toujours parues si ternes, après coup, me laissant presque un goût amer.

Avant mon départ, il m'offrit un médaillon. Un simple médaillon en or.

Nous décidâmes de nous écrire chaque jour, et dès qu'il eut quitté la marine, nous nous mariâmes.

Cet homme s'appelle Daniel Chandler, et je l'aime de chaque fibre de mon être. Ma quête de la passion est terminée, ainsi que ce journal, dans lequel je n'ai plus rien à écrire.

David Chandler ! L'officier n'était autre que son grand-père, et le médaillon qu'elle portait autour du cou, celui qu'il avait offert à Susanna, lorsqu'elle avait quitté l'île.

Des larmes roulèrent sur les joues de Jenna lorsqu'elle referma le carnet.

Elle toucha le médaillon, et l'ouvrit. A l'intérieur était gravée une inscription.

« Merci d'avoir pris un tel risque pour moi. Avec tout mon amour.

Daniel. »

Elle ferma les yeux ; elle aurait tant aimer avoir elle aussi le courage de tout risquer.

14.

Jenna se massa la nuque. La tournée avait été longue et épuisante. On était début octobre, et son dernier concert aurait lieu à la fin du mois. L'air était devenu froid, et les douces journées d'avril passées au ranch de Sam étaient loin.

Elle regarda par la fenêtre de l'appartement de Sarah, et se languit des verts pâturages, du bétail, des jeunes poulains gambadant dans l'herbe, à côté de leurs mères.

Les mains de Sam lui manquaient également ; elle aurait voulu les sentir sur elle. Le cœur serré, elle ferma les yeux.

La première fois qu'elle avait mis les pieds au ranch, elle en avait redouté l'isolement. Au début, toutes ces étendues, tout ce calme lui avaient presque fait peur. Puis elle s'était rendu compte que peu importait l'endroit où elle se trouvait. Elle se sentirait toujours aussi seule. Oui, elle ressentirait toujours cette même solitude, celle qui vous étreint, que vous soyez assis devant une large baie vitrée, ouverte sur d'immenses pâturages, ou bien que vous vous retrouviez avec une amie, dans un appartement au centre d'une cité bruyante.

Elle était seule. Définitivement et désespérément seule, d'abord à cause de l'éducation qu'elle avait reçue, mais, surtout, à cause de sa notoriété.

— Tu dois être fatiguée, dit Sarah en lui tendant une tasse de café.

— Ce n'est rien de le dire.

Elle en avala une gorgée, savourant l'arôme et la chaleur qui descendaient dans sa gorge.

— Il te manque.

— Tu me connais trop bien, Sarah. C'en est presque effrayant.

— Pourquoi ne l'appelles-tu pas ?

— Je suis bien trop occupée avec ma tournée. Tu sais bien que la musique passe au premier plan.

— Jenna ! Ne prends pas de décisions impétueuses. Peut-être pourriez-vous trouver un compromis, tous les deux.

— Contrairement à ce que tu as l'air de penser, je n'agis pas sur un coup de tête. Je ne peux pas m'engager avec Sam, d'aucune manière. Je ne veux pas le blesser comme ma mère l'a fait avec mon père.

— Es-tu certaine de tout cela ? Tu n'as rien à voir avec ta mère.

— J'ai bien trop peur pour essayer. Je ne supporterais pas de le décevoir.

Lorsqu'elle était entrée à l'université de Julliard, personne n'avait essayé de l'approcher. Tout le monde la regardait, parlait d'elle dans son dos, mais personne n'était venu lui parler, et elle ne s'était liée avec personne. Puis les tournées avaient commencé et elle s'était absentée de plus en plus souvent de New York, voyageant de ville en ville, espérant en secret trouver un endroit où elle aimerait se poser.

A l'exception de la relation qu'elle avait nouée avec sa grand-mère, vivre au ranch avec Sam avait été l'expérience la plus intime qu'elle ait jamais connue. Là-bas, sa notoriété n'avait pas été un handicap. Les habitants de Savannah l'avaient accueillie chaleureusement, avec autant de plaisir qu'elle en avait eu à vivre parmi eux. Maria lui avait offert son excellent café et sa compagnie, Lurlene, sa chaleureuse amitié, et Sam… Sam lui avait donné ce que, même une musicienne de talent comme elle, était incapable de donner avec son art.

Sam lui avait offert tout ce dont elle avait toujours rêvé. Une réponse à tous ses doutes, à toutes ses souffrances.

— De plus, poursuivit-elle, j'ai brûlé mes vaisseaux, là-bas. Je lui ai dit que la musique comptait plus que tout, pour moi. Je l'ai dupé, et je l'ai séduit. Quel homme accepterait cela ?

— Je crois que tu devrais envisager un voyage à Savannah et vous donner une chance.

Jenna hocha tristement la tête.

— Non, Sarah. Je vis aujourd'hui comme je l'ai toujours voulu. J'ai fait mon choix.

Après avoir quitté l'appartement de Sarah, Jenna alla se recueillir sur la tombe de sa grand-mère. Elle n'y était pas venue depuis les funérailles. La lune, pleine, brillait, et les étoiles semblaient rendre hommage à son éclat.

Elle conservait toujours dans son sac le premier tome du journal que son aïeule lui avait donné.

— J'ai lu le carnet, comme tu me l'avais demandé, grand-mère, mais la magie qui vous a réunis, grand-père et toi, ne semble pas fonctionner pour moi.

Soudain, elle entendit en elle la réponse de sa grand-mère, aussi clairement que si elle s'était trouvée à côté d'elle.

— *Si, ça marchera. Donne-t'en un peu la peine.*

Elle ferma les yeux un instant, et le souvenir de ses grands-parents revint à sa mémoire. Ils s'étaient toujours merveilleusement bien entendus, parce que chacun avait été généreux avec l'autre, parce qu'ils avaient privilégié leur relation avant tout le reste.

— *Tu peux trouver le même équilibre. Essaie.*

Soudain, elle sut. Sa grand-mère avait raison. Elle aussi avait la capacité de réaliser ce qui lui tenait à cœur. C'était sa mère, qui ne l'avait pas eue. Sa grand-mère, elle, avait été un modèle parfait. Elle lui avait enseigné l'amour.

— *Est-ce que tu l'aimes, Jenna ?*

— Oui, chuchota-t-elle dans l'air froid de la nuit. Je l'aime de tout mon cœur. Et je sais maintenant qu'il existe autre chose dans la vie que la musique. Tu es contente ? demanda-t-elle en s'adressant à la pierre tombale.

Oui, dans les caresses de Sam, dans la profondeur de ses yeux, dans son cœur, il y avait bien plus que la musique ne pouvait lui offrir. Il y avait la vie. La vie et l'amour.

Les étoiles scintillaient, et la lune brillait dans le ciel d'un noir d'encre. Un vent violent soufflait dans les arbres, en faisant tomber les feuilles mortes. On entendait les rumeurs du bétail, et dans l'air frais de la nuit, les chouettes et les hiboux hululaient au loin.

Il poussa la porte de la grange pour gagner la maison où il irait se reposer. Inutile de songer à dormir. Ses pensées le tourmentaient trop pour lui autoriser un sommeil tranquille. Il ferma les yeux. Il sentait encore la main de Jenna dans la sienne, la chaleur de son corps lorsqu'ils étaient enlacés, et se souvint du désir qu'il éprouvait en permanence pour elle.

Il soupira.

— Jenna ! chuchota-t-il.

Où était-elle ? Que faisait-elle ?

210

Ce soir, contemplait-elle la lune, comme lui ?

Toute la nuit, il se tourna et se retourna dans son lit. Lorsque le matin arriva, il se sentait toujours extrêmement triste.

Il se dirigea néanmoins vers la grange d'un pas alerte. Le travail lui ferait du bien et l'empêcherait de penser à elle.

— Eh bien, nous avons abattu pas mal de boulot, depuis que la jeune dame est partie.

Sam se retourna et vit son contremaître derrière lui.

— Je te préviens, Tooter, je ne suis pas d'humeur.

Tooter s'adossa au mur et croisa les bras contre sa poitrine.

— Allez ! Ne me dis pas que tu n'es pas soulagé qu'elle soit partie, finalement. Elle ressemblait bien trop à ton ex-femme.

— Elle n'avait rien à voir avec Tiffany ! cria-t-il. Elle, elle s'est adaptée, elle a même appris à monter à cheval, souviens-toi.

— Peut-être, mais elle n'avait aucune envie de rester.

Ces quelques mots déchaînèrent la colère de Sam, trop longtemps contenue. Il jeta son marteau à terre et marcha droit sur Tooter.

— Elle n'a tout simplement pas mesuré l'intensité de notre relation. Cela aurait pu marcher entre nous !

Tooter le regarda d'un air grave.

— Ce n'est pas à moi qu'il faut le dire, mais à elle. Fiche le camp d'ici, trouve-la, et ramène-la.

Sam fit un pas en arrière et dévisagea Tooter, qui soupira.

— Va la chercher, fiston.

— Oh, toi, espèce de vieux tyran…

— Hé ! Attention, mon garçon ! Un peu de respect pour les aînés.

Tooter avait raison. Pourquoi ne feraient-ils pas un essai, Jenna et lui ? Il savait qu'il pouvait la convaincre. Il l'aimait et souhaitait plus que tout qu'elle revienne au ranch.

— Bon, il semble que je doive appeler la compagnie aérienne pour faire une réservation, dit-il, le sourire aux lèvres.

Tooter sourit lui aussi, et lui donna une claque dans le dos.

— Je vais te conduire à l'aéroport.

Les murs de Carnegie Hall résonnaient des applaudissements du public. Elle attendit que la salle retrouve son calme et s'approcha du micro.

— Merci, mesdames et messieurs. Cela a été magnifique de jouer pour vous, mais je dois vous avouer que j'ai décidé que cette tournée serait la dernière, avant bien longtemps.

Un murmure parcourut la salle.

— J'ai décidé de faire une pause, de m'accorder le temps de vivre.

Quelqu'un se leva et commença à applaudir. Soudain, la salle entière se leva, et lui fit une ovation. Des larmes perlèrent à ses paupières, et elle se pencha, pour saluer son public.

Puis elle s'approcha au bord de la scène, et embrassa la salle du regard. Soudain, dans les premiers rangs, elle remarqua un visage familier, et sentit son cœur battre à tout rompre.

Fébrilement, elle quitta la scène et se mit à fouiller la foule du regard. C'est alors qu'elle vit Sam, vêtu de noir, de la pointe de ses bottes, jusqu'à son Stetson, qui se frayait un chemin vers elle.

Sans la quitter des yeux, il se mit à genoux et lui tendit un écrin.

— Es-tu devenu fou ? demanda-t-elle.

— Oui, fou de toi.

Elle se mit à rire, et lui tendit son violon.

— Pourrais-tu tenir ça un instant, pour moi ?

Puis, elle prit l'écrin et l'ouvrit. Un superbe solitaire étincelait dans la lumière.

— Que… ?

— Epouse-moi, Jenna. Je t'aime. Jamais nous n'aurions dû nous séparer.

— Je l'ai fait pour toi. Ma mère a toujours été très cruelle envers mon père, parce que seule la musique importait pour elle. J'avais peur de te faire subir la même chose.

Quittant le diamant du regard, elle leva les yeux vers lui.

— J'ai utilisé le prétexte de ma musique pour ériger une barrière entre nous, parce que je refusais de te faire courir un risque.

— Et à présent ?

— Je veux rentrer au Texas, et vivre avec toi au ranch, parce qu'il n'y a rien d'autre au monde qui compte davantage.

— Mais Jenna, qu'en est-il de ta musique ?

— Je ne l'abandonnerai pas. Je limiterai seulement le nombre de mes concerts, et j'ai entendu dire que Houston disposait d'un orchestre symphonique absolument fabuleux…

Elle sortit le solitaire de son écrin, et le passa à son annulaire gauche. Puis, elle glissa sa main dans celle de Sam. Sa chaleur la réchauffait jusqu'au plus profond de son être.

Elle l'enlaça, et l'embrassa.

— Sam ?

— Oui ?

— Je t'aime.

— Comme ça tombe bien, ma belle ! Je t'aime aussi.

Elle se mit à rire, et ils se dirigèrent vers sa loge, main dans la main. Lorsqu'ils quittèrent le théâtre, Jenna remarqua un attelage qui attendait devant les marches.

Elle se tourna vers Sam.

— C'est une merveilleuse idée, monsieur Winchester ! dit-elle en l'embrassant.

De nombreuses personnes qui étaient venues l'écouter ce soir-là se trouvaient encore sur les marches, et chacun l'applaudit lorsqu'il l'aida à prendre place dans la calèche.

Tandis qu'il s'asseyait à côté d'elle, elle chuchota dans l'obscurité.

— Merci, grand-mère.

Lorsque leur attelage eut terminé sa promenade dans Central Park, ils prirent un taxi pour se rendre à l'appartement de Jenna. Tandis qu'elle partait chercher quelque chose à boire, il explora son territoire.

— Quel magnifique bureau !

Soudain, elle tressaillit, tous ses sens en alerte.

— De quel bureau parles-tu ?

— De celui-ci. C'est un superbe bureau de style français, en acajou.

Jenna regarda sa table, sur laquelle étaient posés de nombreux pots de plantes.

— Cela fait des années que j'ai cette table. C'est ma grand-mère qui me l'a donnée.

Elle le regarda, une petite lueur dans les yeux.

— J'ai toujours pensé, lorsqu'elle m'a parlé d'un bureau, qu'elle faisait allusion à l'un de ceux qui se trouvaient dans son grenier.

Aussitôt, ils commencèrent à fouiller le meuble. Ils toquèrent sur le bois, et soudain, Jenna perçut un son creux. Elle frappa plusieurs fois au même endroit, puis glissa sous le bureau. Elle fit coulisser un panneau, qui libéra un petit compartiment. Des objets lui tombèrent entre les mains. Un carnet relié de cuir et un petit paquet, entouré de tissu.

Elle se remit debout, et posa le tout sur le bureau. Avec précaution, elle ouvrit le paquet et en sortit une paire d'anneaux étincelants, cadeau d'un prince égyptien, une fine chaîne en or, souvenir d'une courtisane française et un collier en ivoire, parure très érotique, utilisée par certaines danseuses hawaïennes.

Elle ouvrit le carnet et regarda Sam.

— Eh bien ! Ma grand-mère avait de la suite dans les idées ! Je crois que nous devrions lire cela ensemble.

Sam prit la fine chaîne en or et la lui attacha autour de la taille. Lorsque leurs yeux se rencontrèrent, elle écarta d'un revers de main les plantes sur la table, s'allongea sur le dos et lui sourit.

— Alors, cow-boy, tu l'as déjà fait sur un bureau ?

Chère lectrice,

Vous nous êtes fidèle depuis longtemps?
Vous venez de faire notre connaissance?

C'est pour votre plaisir que nous avons
imaginé un rendez-vous chaque mois
avec vos auteurs préférés, vos
AUTEURS VEDETTE dans les
collections Azur et Horizon.

Les AUTEURS VEDETTE vous
donneront rendez-vous pour de
nouveaux livres vedette.

Pour les reconnaître, cherchez
l'étoile ... Elle vous guidera!

Éditions Harlequin

HARLEQUIN

LE FORUM DES LECTEURS ET LECTRICES

CHERS(ES) LECTEURS ET LECTRICES,

VOUS NOUS ETES FIDÈLES DEPUIS LONGTEMPS?

VOUS VENEZ DE FAIRE NOTRE CONNAISSANCE?

SI VOUS AVEZ DES COMMENTAIRES, DES CRITIQUES À
FORMULER, DES SUGGESTIONS À OFFRIR, N'HÉSITEZ
PAS... ÉCRIVEZ-NOUS À:
      LES ENTERPRISES HARLEQUIN LTÉE.
      498 RUE ODILE
      FABREVILLE, LAVAL, QUÉBEC.
      H7R 5X1

C'EST AVEC VOS PRÉCIEUX COMMENTAIRES QUE NOUS
ALLONS POUVOIR MIEUX VOUS SERVIR.

DE PLUS, SI VOUS DÉSIREZ RECEVOIR UNE OU
PLUSIEURS DE VOS SÉRIES HARLEQUIN PRÉFÉRÉE(S)
À VOTRE DOMICILE, NE TARDEZ PAS À CONTACTER LE
SERVICE D'ABONNEMENT; EN APPELANT AU
(514) 875-4444 (RÉGION DE MONTRÉAL) OU 1-800-667-4444
(EXTÉRIEUR DE MONTRÉAL) OU TÉLÉCOPIEUR
(514) 523-4444 OU COURRIER ELECTRONIQUE:
AQCOURRIER@ABONNEMENT.QC.CA OU EN ÉCRIVANT À:
      ABONNEMENT QUÉBEC
      525 RUE LOUIS-PASTEUR
      BOUCHERVILLE, QUÉBEC
      J4B 8E7

MERCI, À L'AVANCE, DE VOTRE COOPÉRATION.

BONNE LECTURE.

HARLEQUIN.

VOTRE PASSEPORT POUR LE MONDE DE L'AMOUR.

<u>ROUGE PASSION</u>

**De fiévreuses histoires
d'amour sensuelles!**

De provocantes histoires
d'amour passionnées et
romantiques qu'on lit d'une
seule traite. Aventureuses,
parfois humoristiques, et
sensuelles, elles mettent en
vedette des hommes et des
femmes d'aujourd'hui.

**ROUGE PASSION...
trois nouveaux titres
chaque mois.**

<u>COLLECTION HORIZON</u>

Des histoires d'amour romantiques qui vous mènent au bout du monde!

Découvrez la passion et les vives émotions qu'apportent à la Collection Horizon des auteurs de renommée internationale!

Captivantes, voire irrésistibles, ces histoires d'amour vous iront assurément droit au coeur.

Surveillez nos trois nouveaux titres chaque mois!

GEN-H-R

L'ASTROLOGIE EN DIRECT
TOUT AU LONG
DE L'ANNÉE.

(France métropolitaine uniquement)
Par téléphone 08.92.68.41.01
0,34 € la minute (Serveur SCESI).

Composé et édité par les
*éditions*Harlequin
Achevé d'imprimer en août 2004

BUSSIÈRE
GROUPE CPI

à Saint-Amand-Montrond (Cher)
Dépôt légal : septembre 2004
N° d'imprimeur · 43598 — N° d'éditeur · 10802

Imprimé en France